USO DE LAS PREPOSICIONES

EMILIO NÁÑEZ FERNÁNDEZ

USO DE LAS PREPOSICIONES

Colección: PROBLEMAS BÁSICOS DEL ESPAÑOL

SOCIEDAD GENERAL ESPAÑOLA DE LIBRERÍA, S. A.

Primera edición en 1990
Sexta edición en el 2002

Produce: SGEL - Educación
Avda. Valdelaparra, 29 - 28108 ALCOBENDAS (MADRID)

ISBN: 84-7143-441-5
Depósito Legal: M. 49.173-2002
Impreso en España - Printed in Spain

Compone: AMORETTI, S. A.
Imprime: NUEVA IMPRENTA, S. A.
Encuaderna: F. MÉNDEZ

Este libro está dedicado a cuantos se asoman por primera vez al español, hermosa lengua, con un fuerte y fraterno abrazo.

EL AUTOR

I

INTRODUCCIÓN

NOCIONES PREVIAS

*La preposición es un nexo o palabra de enlace que se antepone a otra (generalmente un sustantivo o palabra equivalente) con la que forma un complemento de otro sustantivo («**hombre** **sin** dinero»), de un verbo («**vengo** **de** Madrid»), de un adjetivo («**libre** **de** deudas»), de un adverbio («**delante** **de** mi casa»). Al término de que depende el complemento le llamamos término regente o núcleo, y al término que sigue a la preposición, término regido. Si bien la preposición precede al término regido, no es obligatorio que el término regente preceda a la preposición. La relación entre núcleo o término regente y término regido puede ser muy variada, y, por consiguiente, se requerirá, en principio, una u otra preposición para expresarla. Pero como los tipos de relaciones, y las relaciones mismas, son mucho más numerosas que el número de partículas, un solo nexo expresa varias funciones, lo que puede provocar, a veces, cierta confusión. Así:* ***«se murió*** **de** ***pena»*** expresa la causa o el agente; ***«escribe*** **de** ***corrido»*** expresa el modo; ***«venía*** **de** ***Madrid»****, procedencia, origen, lugar de donde, etc. Núcleo, nexo y término regido constituyen una estructura mucho más compleja de lo que a primera vista parece, donde las tensiones o relaciones de sus elementos van en todos los sentidos.*

Las nociones que se pueden expresar mediante el empleo de la preposición, dentro de esa estructura, son muy variadas. Por ejemplo: lugar en donde: ***«te espero*** **en** ***el bar»:*** tiempo: ***«estudio*** **por** ***la noche»;*** *causa: «****no vino*** **por** ***enfermedad del padre»;*** *finalidad:* ***«lo hago*** **por** ***tu bien»;*** *destinatario:* ***«las rosas son*** **para** ***mi novia»;*** *instrumento:* ***«escribe*** **con** ***pluma de oro»;*** *compañía:* ***«viene*** **con** ***su padre»;*** *modo:* ***«estudia*** **con** ***intensidad»****, etc.*

Los elementos enlazados no sólo son sustantivos por naturaleza: el nombre («la casa **del** ***padre****») y el pronombre («la casa* **de** ***él****»), sino toda palabra que, por traslación, se haya sustantivado e incluso una proposición que funcione en la frase como un sustantivo: «hoy he recibido la prensa* **de** ***ayer****» / «el ministro ha recibido* **a** ***los de la huelga****» / «harto* **de** ***esperar****» / «ya es hora* **de** ***que os enteréis****».*

El número de nexos o preposiciones simples, es decir, de las constituidas por una sola palabra, pueden ser hoy —con un criterio amplio— las siguientes: ***a, abajo, allende, ante, aparte, aquende, arriba, aun, bajo, cabe, como, con, contra, cuando, de, dentro, desde, donde, durante, en, entre, excepto, fuera, hacia, hasta, inclusive, incluso, mas, mediante, menos, mientras, orilla, para, por, pro, salvo, según, sin, so, sobre, tras, versus, vía.***

Exceptuando el esnobista ***versus****, a todas luces rechazable, el uso literario de algunas preposiciones anticuadas (****allende, aquende, cabe, so****) y otras sometidas a discusión (****aparte, arriba, como, cuando, dentro****, etc.), podemos considerar nexos prepositivos, generalmente admitidos, los siguientes:* ***a, ante, bajo, con, contra, de, desde, durante, en, entre, hacia, hasta, mediante, para, por, pro, según, sin, sobre, tras.*** *De las cuales, en un nivel elemental, tienen uso actual* ***a, con, contra, de, desde, durante, en, entre, hacia, hasta, para, por, según, sin, sobre. Ante,*** *tiene un empleo más culto y generalmente dentro de ciertos ámbitos: «el acusado fue llevado* ***ante*** *el juez»; el uso corriente diría «el acusado fue llevado* ***al*** *juez». En no pocos casos* ***bajo*** *es sustituido por la locución* ***debajo de,*** *más popular, y así no será raro oír en vez de «padecer* ***bajo*** *el poder», «padecer* ***debajo del*** *poder». Del par* ***durante*** *y* ***mediante****, ésta sigue manteniendo cierto tufillo culto.* ***Pro,*** *que sólo se emplea delante de términos sin artículo («cupón* ***pro*** *ciegos» / «conferencia* ***pro*** *amnistía internacional» / «manifestación* ***pro*** *pueblo palestino»), tiene un uso restringido dado su carácter culto;*

se prefieren otros nexos, como **para, por,** *o alguna locución prepositiva:* **en favor de, en beneficio de,** *etc. Respecto a* **tras** *suele tener un tratamiento similar a* **bajo** *y* **ante,** *y se la sustituye, con frecuencia, por* **detrás de.**

De las quince preposiciones, que, en nuestra opinión, pertenecen a un nivel elemental de empleo no sólo para el extranjero que aprende nuestra lengua, sino también para quienes la tienen por vernácula, las partículas **a, con, de** *y* **en** *son las más importantes, pues no sólo realizan, como las demás, una función de enlace a la vez que una relación, sino que también son capaces de funcionar como meros nexos de enlace carente de relación, es decir, como puro enlace sin sentido alguno, como sucede en ciertas estructuras cuyo núcleo o término regente es un verbo que exige una determinada preposición ante el complemento régimen preposicional: «**acordarse** **de**...» / «**alegrarse** **de**...» / «**soñar** **con** alguien o algo»/ «**confiar** **en** alguien o algo» / «**volver** **a** empezar», etcétera.*

*Así pues, si por un lado cabe hablar de preposiciones vacías, por otro es necesario, a veces, el empleo de dos o más partículas para tratar de expresar los varios sentidos de la relación. A esta secuencia la llamamos sintagma prepositivo o preposición compuesta (***por entre, de para entre, de a, de por, por sobre,** *etc.): «**corría** **por entre** **los pinos**» / «**salió** **de entre** **las llamas**», etc.*

El deseo de explicar todavía más la relación del nexo hace que tratemos de explicitar dicha relación con toda una locución, locución o frase prepositiva, de muy diversa configuración, en la que suelen hallarse, por lo general, una o varias preposiciones «vacías» unidas a sustantivos o adjetivos.

Modernamente, y quizá por deseo de expresar mayor afectividad a la vez que precisión, el empleo de las locuciones es grandísimo, y su número supera el medio millar. Su estructura, como hemos dicho, es muy variada: **a cambio de, acorde con, al habla con, aparte de, arriba de, camino a, camino de, cara a, como consecuencia de, con destino a, conforme a, de cara a, de paso hacia, en beneficio de, en consideración a, por amor de,** *etc.*

Por último observemos que en la cadena fónica todas las preposiciones ocupan posiciones átonas excepto la preposición **según,** *que, cuando va seguida de pronombre, éste adopta la forma de sujeto* **(*yo, tú*)** *y no la forma especial que se emplea con preposición* **(*mi, ti*)**. *Así se dice, por ejemplo,* **según *yo*, según *tú*** *y no* **según *mí*** *o* **según *ti*.**

Finalmente, la presentación de un trabajo sobre preposiciones de un nivel elemental, u otro nivel cualquiera, deberá intentar permanecer en el mismo nivel de los demás planos u órdenes gramaticales: léxico, estructuras sintácticas, formas verbales, etc., lo cual no siempre es fácil de conseguir, ya que este orden de relación, el prepositivo, tiende a situarse por encima del que, en principio, deberían ocupar sus iguales. O dicho más llanamente: el estudio de un nivel prepositivo parece ser más profundo que el equivalente de otro orden gramatical, aclaración que deseamos adelantar —aunque no podamos entrar en explicaciones— para que no se nos diga que queremos curarnos en salud. Ello viene a justificar la inevitable colaboración del profesor para que este trabajo pueda ser fructífero, colaboración que, por adelantado, agradecemos, aunque no se elimina un aprovechamiento personal.

II

VALORES Y FUNCIONES DE LAS PREPOSICIONES

a) *Preposiciones de mero enlace.*

1. Empleo totalmente formal.

1.1. Son **a, con, de, en:** *ya vuelve* ***a*** *empezar / sueño* ***con*** *mi novia / me alegro* ***de*** *verte / insistía* ***en*** *venir.*

b) *Preposiciones plenas.*

2. Preposición **a.**

2.1 Empleo formal como complemento directo de persona, y de animal o cosa personificados o animados: *amo* ***a*** *María / odio* ***a*** *muerte / por las mañanas monto* ***a*** *Trueno.*

2.2. Expresión de movimiento, lugar, adonde; proximidad en el espacio o tiempo; finalidad, término indirecto o destinatario; introduce infinitivos complementos de verbos de movimiento; introduce asimismo expresiones adverbiales de modo, etc. Por ejemplo: *el verano próximo ire* ***a*** *Italia / el avión cayó* ***al*** *mar / te esperaré* ***a*** *la puerta del cine / te veré* ***a*** *las once / traigo rosas* ***a*** *María / vengo* ***a*** *desayunar / hablaba* ***a*** *tontas y* ***a*** *locas.*

3. Preposición **con.**

3.1. Expresa preferentemente compañía, instrumento, modo, contenido y relación: *pasea* ***con*** *sus amigos /*

come ***con*** *las manos / come* ***con*** *apetito / perdió la cartera* ***con*** *los libros / habla* ***con*** *la vecina.*

4. Preposición **contra.**

4.1. Expresa contrariedad u oposición tanto en sentido recto como figurado: *se casó* ***contra*** *el parecer de todos.* Cuando un hecho puede ser expresado por otra preposición adquiere un matiz especial de violencia si se construye la frase con **contra:** *«chocó* ***con*** *un árbol»* frente a *«chocó* ***contra*** *un árbol» / «lo rompió* ***en*** *el suelo»* frente a *«lo rompió* ***contra*** *el suelo».*

5. Preposición **de.**

5.1. Empleo formal, introduce el sujeto agente de la voz pasiva, si bien la construcción más frecuente hoy es la introducida por la preposición **por:** *es muy querido* ***de*** *todos / es muy querido* ***por*** *todos.*

5.2. Expresa principalmente posesión o pertenencia, materia, cualidad, origen o procedencia, causa, parte y cantidad indeterminada, tiempo, modo: *la casa* ***de*** *mi padre / una botella* ***de*** *vino / trabaja* ***de*** *portero / vino* ***de*** *Rioja / enfermó* ***de*** *tanto beber / todos comieron* ***del*** *pan / cogieron al ladrón y le dieron* ***de*** *puñetazos / llegaron* ***de*** *madrugada / andaba* ***de*** *puntillas.*

6. Preposición **desde.**

6.1. Indica el punto exacto en el espacio o en el tiempo a partir del cual se origina o produce algo: *iré* ***desde*** *Madrid a Santander / cobré* ***desde*** *el uno de mayo.*

7. Preposición **durante.**

7.1. El hecho de ser muy evidente su procedencia (participio de presente de **durar**) y que tradicionalmente ha sido incluida entre los adverbios de tiempo hace que algunos tengan reparos en considerarla como preposición, no obstante su evidente función de tal.

7.2. Denota el tiempo en que se produce un hecho o acción: *vivió **durante** veinte años en la casa.*

8. Preposición **en.**

8.1. Indica el lugar en donde y término de un movimiento, el tiempo durante el cual tiene lugar la acción, el instrumento o medio, causa, precio, modo, aspecto, etc. Ejemplos: *te espero **en** casa / el avión cayó **en** el mar / el incendio tuvo lugar **en** verano / iremos **en** coche / le conocí **en** la manera de andar / lo compré **en** dos millones de pesetas / te lo digo **en** serio / región abundante en **viñedo.***

9. Preposición **entre.**

9.1. En términos generales expresa algo que está en medio de dos extremos, ya sea una relación de espacio, tiempo o cualquier otra circunstancia: *El Escorial está **entre** Madrid y Ávila / te espero **entre** diez y doce / el río discurre **entre** dos montañas.* A veces enlaza los términos sujeto de una acción conjunta: ***entre** el padre y el hijo robaron el banco.*

10. Preposición **hacia.**

10.1. Con verbos de movimientos indica, sin concretar, el lugar adonde, y con verbos de reposo expresa vagamente el lugar o el tiempo aproximado: *voy **hacia** Sevilla / se marchó **hacia** allá / eso tendrá lugar **hacia** el año dos mil.*

11. Preposición **hasta.**

11.1. Expresa el punto límite en el espacio, tiempo, cantidad o cualquier otra materia mensurable, del cual no se pasa o se va más allá: *fue **hasta** Madrid / escribió **hasta** las diez / te pagaré **hasta** mil pesetas.*

12. Preposición **para.**

12.1. Puede indicar, de manera vaga, el punto hacia el que

se dirige el movimiento, el destinatario, la finalidad, el tiempo: *han salido* ***para*** *Madrid / trajeron rosas* ***para*** *María / trabaja* ***para*** *ganar dinero / se casa* ***para*** *abril.*

13. Preposición **por.**

13.1. Empleo formal: introduce el sujeto agente de la voz pasiva: *es muy respetado* ***por*** *sus iguales.*

13.2. Puede expresar causa, finalidad, medio, lugar a través del cual se realiza la acción o se produce un movimiento, espacio o tiempo imprecisos, sustitución o beneficio: *trabaja* ***por*** *su libertad / se sacrifica* ***por*** *el futuro del hijo / dieron la noticia* ***por*** *la radio / huyeron* ***por*** *el bosque / los fugitivos andan* ***por*** *la sierra / se casaron* ***por*** *abril / pagaré la multa* ***por*** *ti / hable al jefe* ***por*** *mí.*

14. Preposición **según.**

14.1. Es la única preposición tónica. Ante pronombre, éste adopta la forma de sujeto: «***según*** *tú, yo*», no «***según*** *ti, mí*».

14.2. En general, expresa modo, particularidad: *se come* ***según*** *la educación recibida / trabajaba* ***según*** *su capricho.*

15. Preposición **sin.**

15.1. Expresa generalmente privación, carencia: *se casó* ***sin*** *amor / estoy* ***sin*** *dinero.*

16. Preposición **sobre.**

16.1. Indica el lugar encima de..., aproximación, asunto: *pon el libro* ***sobre*** *la mesa / el robo fue* ***sobre*** *las cinco / ha escrito un libro* ***sobre*** *la guerra carlista.*

III

REPERTORIO DE CONSTRUCCIONES CON PREPOSICIÓN

A

1. el hombre valiente *se abalanzó* **al** peligro
   contra el enemigo
   el mendigo *se abalanzó* **sobre** la comida
2. la persona cobarde *se abandona* **a** su suerte
3. el ejército *abastecía* la ciudad **de** alimentos
4. Juan es persona *abierta* **a** la moda
   el libro estaba *abierto* **por** la mitad
5. el pan duro *se ablanda* **con** agua
6. el portero *se abrasó* **en** el incencio
7. el hijo *abraza* **a** la madre
8. el borracho *se abrazó* **al** árbol
9. el pobre *se abrigaba* **con** la manta
10. el portero *abre* la puerta **a** las diez
    el lunes *abren* la exposición **al** público
    abrir un libro **con** un cuchillo
    el lunes *abren* la exposición **para** el público
11. mi país, España, es *abundante* **de** vino
    en fruta

12. María *se aburre* **con** su novio
    el niño *se aburre* **con** ese juego
    la niña *se aburre* **en** el teatro

13. el jefe *abusa* **de** su autoridad

14. el escritor *ha acabado* su libro
    la fiesta *acabó* **a** las doce
    el hijo *acabó* **con** la herencia
    mi amigo *acaba* **de** llegar
    el noviazgo *acabó* **en** boda

15. *acercarse* **a** la mesa

16. *acobardarse* **ante** el enemigo
    yo *me acobardo* **con** el frío
    se acobardaron **frente al** enemigo

17. *acometer* **al** enemigo
    acometieron **contra** el enemigo

18. *te acompaño* **a** casa
    te acompaño **en** el sentimiento

19. *aconsejar* a alguien **en** un asunto

20. *me acuerdo* **de** mi padre

21. yo *me acuesto* **a** las diez
    tú *te acuestas* **de** madrugada

22. *acostumbrarse* **al** trabajo

23. *acudir* **a** la cita

24. *acusar a* alguien **ante** el juez
    a uno **de** ladrón

25. *adaptarse* **a** las circunstancias

26. el taxi *adelantó* **al** camión **en** la recta

27. el barco *se adentró* **en** la mar
    el cazador *se adentró* **en** el bosque

28. *adivinar* su intención **con** una mirada

29. *administrar* justicia **a** todos

30. *admirarse* **del** resultado de la votación

31. *admitir* el asunto **a** discusión
a uno **en** el club

32. *adornar* el salón **con** flores

33. *adueñarse* **de** las riquezas de otro

34. *advertir* **del** peligro a los viajeros
sobre el peligro a los viajeros

35. *aficionado* **al** fútbol

36. *afiliarse* **a** un partido político

37. *afirmarse* **en** sus ideas
sobre sus piernas

38. *afortunado* **con** las mujeres
en el juego

39. *agarrar a* uno **de** la mano
por el brazo

40. *agarrarse* **a** un clavo ardiendo
de un clavo ardiendo

41. *ágil* **de** piernas

42. *agradable* **a** los compañeros
es un vino muy *agradable* **al** paladar
agradable **con** sus amigos
de ver
música *agradable* **para** el descanso

43. *agradecido* **a** todos
por su visita

44. *agrandó* la finca **con** otro terreno

45. *agregar* el café **a** la lcche

46. *agrio* **de** sabor
de carácter

47. *agruparse* **con** otros
de tres **en** tres
en compañías
por colores

48. *agua* **de** beber
de lluvia
de gran valor medicinal
para beber

49. *aguantaba* el dolor **con** valor
aguantó la tortura **hasta** la muerte
sin protestar

50. *aguantarse* **con** el suspenso
en la desgracia

51. *aguardar a* la novia **a** la puerta del cine

52. *agudo* **de** ingenio
en las respuestas

53. *agujerear* el papel **con** las tijeras

54. *ahogarse* **con** un pelo
de calor, risa
en un vaso de agua
en lágrimas

55. *ahorcarse* **con** una cuerda
de un árbol

56. *ahorrar* **en** la comida

57. *alabarse* **de** valiente

58. *alarmarse* **con** el ruido
por el ruido

59. *alcanzar* **al** techo
a comprender una cosa

60. *alegrarse* **con** la noticia
de ir al cine
por la noticia
por Juan

61. *alegre* **con** la noticia
por la noticia

62. *alejarse* **de** Madrid

63. *algo* **de** comer
para comer

64. *alguien* **con** quien jugar
con buen aspecto
de Madrid
de buen aspecto
en quien confiar

65. *aliarse* **con** alguien
con otro **contra** el enemigo común
para luchar

66. *alimentar* **al** niño **con** leche
al niño **de** fruta

67. *alimentarse* sólo **con** carne
de esperanzas

68. *alinearse* **con** el Real Madrid
de delantero centro
en el primer equipo

69. *alistarse* **de** tambor
en la legión

70. *aliviarse* **con** la medicina

71. *alto* **de** cuerpo

72. *alumbrarse* **con** cerillas
en la oscuridad

73. *alzar* los ojos **al** cielo
los pies **del** suelo

74. *amable* **a** todos
con todos
de carácter
para todos

75. *amanecer* **en** Sevilla
en la carretera
entre Córdoba y Sevilla
para justos e injustos
por el kilómetro dos mil
sobre la ciudad

76. *amante* **del** orden

77. *amar* **con** toda el alma
de todo corazón

78. *amargo* **al** paladar
de sabor

79. *ambicioso* **de** poder

80. *amenazar* **con** un puñal
de muerte

81. *amor* **a** los hijos
a la patria
al arte
por los hijos

82. *amoroso* **con** los hijos
para los hijos

83. *andar* **a** cuatro patas
con malos amigos
con Dios
de puntillas
de un sitio **a** otro
de la Ceca **a** la Meca
en el armario
entre buena gente
por el jardín
sin zapatos

84. *andarse* **con** bromas
con ojo
por las ramas

85. *animar* a otro **a** trabajar
con el ejemplo

86. *animarse* **a** trabajar
con el ejemplo
con el vino

87. *anochecer* **en** Sevilla
en la carretera
entre Córdoba y Sevilla
por el kilómetro dos mil
sobre la ciudad

88. *anterior* **a** Cristo

89. *antes* **de** Cristo
de entrar dejen salir

90. *antipatía* **al** jefe
contra el jefe
hacia el jefe
por el jefe

91. *añadir* una cosa **a** otra
algo **sobre** un asunto

92. *apagar* el fuego **con** agua

93. *apartarse* **a** un lado
de los malos amigos

94. *apasionarse* **con** alguien o algo
en las discusiones
por alguien o algo

95. *apearse* **del** coche
en marcha

96. *apenarse* **con** las noticias
por las noticias

97. *aplazar* la reunión **hasta** nuevo aviso
para las cinco

98. *apoderarse* **del** dinero
del dinero **por** la fuerza

99. *apostar* mil pesetas **a** un caballo
con alguien
en las carreras
mil pesetas **por** un caballo

100. *apoyarse* **en** la silla
sobre la mesa

101. *aprender* **a** leer
con un buen maestro
de su madre
de memoria
en la escuela de la vida
para sí
por experiencia

102. *apretar* **a** correr
con las manos
contra el pecho
entre los brazos
por todos los lados

103. *aprobar* **en** los exámenes
en latín

104. *apropiarse* **del** dinero de otro

105. *aproximarse* **a** la ciudad
contra la pared
desde el mar
hacia la pared
hasta la pared
hasta tocar la pared

106. *apto* **para** todo trabajo

107. *apuntar a* alguien **con** una pistola
en la lista

108. la leña *ardía* **a** fuego lento
con llamas altísimas

109. *armado* **con** un puñal
de un puñal
hasta los dientes

110. *arrancar* **el** diente *al* niño
a llorar

111. *arrancarse* **a** cantar
el toro *se arrancó* **al** torero
contra el caballo
hacia el torero

112. *arrastrar* a uno **a** la mala vida
de los pelos
por tierra

113. *arrepentirse* **de** sus pecados

114. *arrimarse* **a** un árbol

115. *arrodillarse* **a** los pies de Cristo
sobre el suelo

116. *arrojar* una cosa **a** la calle
una cosa **desde** el balcón
una cosa **en** la calle
por la ventana

117. *arrojarse* **al** fuego
contra el enemigo
del avión
desde la ventana
por la ventana
sobre el enemigo

118. *asistir* **a** la reunión
al pobre
de oyente

119. *asociarse* **a** otro
con otro
para siempre
según costumbre

120. *asomarse* **a** la ventana
desde la ventana
por la ventana

121. *áspero* **al** tacto
con la gente
de carácter
en el trato diario

122. *asqueroso* **a** la vista
de ver
en su aspecto
por sus palabras

123. *asustarse* **a** la vista de su aspecto
con el ruido
de la tormenta
desde niño
durante la tormenta
por todo

124. *ataque* **al** corazón
de celos

125. *atar* **a** alguien **a** un sitio
al perro **con** una cadena
del pescuezo
por el pescuezo

126. *atender* **al** enfermo
a la explicación
al enfermo **durante** la noche
por las noches

127. *atentar* **contra** la vida **de** alguien
contra la democracia

128. *atento* **a** la explicación
con la gente

129. *atrasado* **de** noticias
en el estudio

130. *atravesar* el río **con** una barca
en una barca
por el puente

131. *atreverse* **a** hacer algo
contra el dictador

132. *atrevido* **en** los negocios

133. *aumentar* la ayuda **con** un millón de pesetas
de peso
en peso

134. *ausentarse* **de** la ciudad
durante el carnaval
hasta Navidad
para siempre
por tres años

135. *autorizar* a alguien **a** hacer algo
de palabra
para hacer algo
por escrito

136. *avanzar* **con** cuidado
contra corriente
en fila india
entre llamas
hacia las filas enemigas
hasta las filas enemigas
por terreno enemigo

137. *avergonzarse* **de** sus acciones

138. *avisar* a otro **con** tiempo
de su llegada

139. *ayudar* **a** los pobres
a hacer algo
con medicinas
en la desgracia

B

140. *bailar* **a** compás
con María
sin música

141. *bajar* **a** la calle
del tren
de precio una cosa
en el ascensor
por la escalera

142. *bajo* **de** techo

143. *bañado* **de** sudor
en sudor

144. *bañar* la carta **con** sus lágrimas
de lágrimas
en lágrimas

145. *basarse* **en** la razón

146. *batallar* **con** el enemigo
contra el enemigo
entre hermanos
por la libertad

147. *beber* **a** la salud de alguien
a sorbos
con un vaso
de la botella
en el río
por los novios

148. *beneficiarse* **de** la amnistía

149. la lluvia es *benéfica* **a** los campos
para la agricultura

150. *besar* a alguien **en** la frente

151. *besarse* **a** escondidas
con el novio
con pasión
de mala gana
en las mejillas
por última vez
según la moda
sin ilusión

152. *bienvenido* **a** España

153. *blanco* **de** cara
de España
desde la raíz
hasta los pelos
por las puntas
sobre negro

154. *blando* **al** tacto
con los hijos
de carácter
de boca

155. *blanquear* la pared **con** yeso
de yeso

156. *blasfemar* **contra** Dios

157. *bordar* **a** mano
a máquina
en seda
en rojo

158. *borracho* **de** vino
de odio

159. *borrar* lo escrito **con** goma
a alguien **de** la lista

160. *bostezar* **de** sueño

161. *breve* **de** contar
en la explicación

162. *brindar* **a** la salud de alguien
por los novios

163. *bromear* **con** los amigos
en el trabajo

164. *bueno* **con** los pobres
de comer
de sabor
entre los buenos
para los nervios

165. *burlarse* **de** alguien o algo

166. *buscar* trabajo **al** hijo
una aguja **en** un pajar

C

167. *cabalgar* **en** un asno
sobre un asno

168. *caballero* **de** Santiago
en un asno
por sus hechos
sobre un asno

169. *caber* **de** pie
en clase
la silla *cabe* **por** la ventana

170. el avión *cayó* **al** mar
mi cumpleaños *cae* **a** primeros de mes
el agua *caía* **a** cántaros
caer enfermo **de** gripe
desde el tejado
el avión *cayó* **en** el mar
el primer premio *cayó* **en** el número quince
caer **por** el balcón
por tierra

171. *caerse* **al** suelo
de la ventana
desde la ventana
en tierra
por el balcón
por tierra
sobre el brazo

172. *calarse* **de** agua
hasta los huesos

173. *calcular* las pérdidas **en** un millón

174. *calentarse* **al** fuego
con ejercicios

175. *calmarse* **con** las explicaciones

176. *callar* la información **a** la policía
de miedo
por miedo

177. *cambiar* el billete **en** monedas
una cosa **por** otra

178. *cambiarse* **de** casa
de camisa

179. *caminar* **a** Sevilla
a pie
con pies de plomo
en grupos
en coche
hacia Sevilla

para Sevilla
por la acera
sobre ruedas

180. *camino* **de** Sevilla
181. *campaña* **contra** el hambre
182. *candidato* **a** la presidencia
para la presidencia
183. *cansado* **de** esperar
por esperar
184. *cansarse* **a** trabajar
con el esfuerzo
del esfuerzo
de trabajar
por trabajar mucho
185. *cantar* **a** la amada
a la libertad
con voz de trueno
desde la cuna
durante la cena
en voz baja
las veinte **en** oros
por no llorar
186. *capaz* **de** hacer algo
187. *carecer* **de** medios
188. *cargar* una cosa **a** hombros
con la mesa
el camión **con** ladrillos
la caballería *cargó* **contra** el enemigo
cargar los ladrillos **en** el camión
sobre el camión
189. *casarse* **con** su prima
en segundas nupcias
por poderes
190. *castigar* a alguien **a** no ir al cine
por su desobediencia
sin postre

191. *causar* daño **a** los enemigos
en los enemigos

192. *celoso* **de** sus hermanos

193. *cerca* **de** la ciudad

194. *cercano* **a** su muerte

195. *cerrar* la puerta **con** llave
por fuera

196. *ciego* **a** la gracia divina
con los defectos de sus hijos
de rabia
por los celos

197. *circular* **de** derecha **a** izquierda
desde las ocho
durante la noche
hasta las diez
por la calle
por la derecha

198. *cita* **con** la novia
de Cervantes

199. *clavar* un cuadro **a** la pared
en la pared
un puñal **por** la espalda

200. *coger* la fruta **a** mano
la comida **con** el tenedor
a alguien **de** la mano
en brazos
el tren **en** marcha
a alguien **por** la mano

201. *cogerse* **a** las ramas
un dedo **con** la puerta
de las manos
un dedo **en** la puerta
por las manos

202. *cojear* **del** pie derecho

203. *colgar* **al** asesino
la fruta *cuelga* **del** árbol
colgar **por** la cabeza
sobre el abismo
204. *colocar* una cosa **al** principio
las cosas **con** orden
en orden
una cosa **entre** otras dos
las cosas **según** su tamaño
una cosa **sobre** la mesa
205. *colocarse* **a** la cabeza de la fila
con orden
de camarero
en cabeza
en orden
por orden
según sus colores
sobre los demás
206. *combatir* **al** enemigo
con el enemigo
contra el enemigo
durante la noche
en primera línea
hasta la victoria final
por un mundo mejor
por la noche
207. *comenzar* **a** comer
con una oración
de aprendiz
por la cola
208. *comer* **a** las dos
con las manos
con un amigo
de todo
en casa
por cuatro
209. *comerciar* **con** los extranjeros
en productos químicos

210. *comerse* unos **a** otros
de envidia

211. *compadecerse* **del** desgraciado

212. *compañero* **de** colegio
de viaje
en el juego

213. *comparar* una cosa **a** otra
con otra
dos cosas **en** calidad

214. *compartir* la comida **con** el pobre

215. *completar* una cosa **con** otra

216. *comprar* fruta **al** frutero
un regalo **a** la esposa
un coche **con** dinero robado
algo **de** comer
un regalo **en** la tienda
para la esposa
algo **por** kilos
por mil pesetas

217. *común* **a** todos los humanos
de todos los vecinos
para todos los vecinos

218. *comunicar* la noticia **al** jefe
el salón *comunica* **con** el comedor
comunicar algo **de** palabra
las dos casas *comunican* **por** una escalera
comunicar algo **por** escrito

219. el fuego *se comunicó* **a** las casas vecinas
comunicarse **con** la capital
las personas *se comunican* **entre** sí
comunicarse **por** radio

220. *condenar* a alguien **a** diez años de prisión
con una multa
por un delito que no hizo

221. *conducir* a alguien **a** la gloria
Juan *conduce* bien el coche **en** carretera

222. *confesar* los pecados **al** sacerdote

223. *confesarse* **a** Dios
con alguien
de sus culpas

224. *confiar* la dirección de un asunto **a** Juan
en Dios
en recibir el premio

225. *conformarse* **con** lo que dice el jefe
con la mitad

226. *conforme* **a** tus deseos
con tus deseos
con Juan **en** todo
en el precio

227. *conmoverse* **con** la desgracia de otro
por la escena

228. *conocer* a alguien o algo **de** vista
a Juan **en** el andar
algo **por** el color

229. *conocerse* **de** nombre
de vista
en el tren
por la forma de hablar
por Juan

230. *conservar* la comida **en** la nevera
la casa **en** pie

231. *consolarse* **con** el hijo que le queda
con el tiempo
de la pérdida del hijo

232. *constante* **en** el amor

233. *construir* una frase **con** preposición
un edificio **para** los pobres
por orden de otro
según las ordenanzas

sin orden
sobre roca

234. *consultar* un asunto **con** el abogado
una duda **en** el diccionario
al abogado **sobre** un asunto

235. *contagiarse* **con** el trato
de su hermano
de la gripe

236. *contar* algo **a** un amigo
con Juan
con su ayuda
con los dedos
el pueblo *cuenta* **con** mil habitantes
contar **de** tres **en** tres
hasta cien
una persona mayor *cuenta* **por** dos niños
contar **por** los dedos

237. *contentarse* **con** su suerte

238. *contento* **con** su suerte
de su jefe

239. *contestar* **a** la pregunta
al insulto **con** el insulto
de palabra
de mala manera
en nombre de todos
por escrito
por señas
por su hermano

240. *continuar* **con** salud
en su trabajo
por el buen camino

241. *contrario* **a** Juan
a la reforma
en ideas

242. *conversar* **con** el amigo
sobre lo divino y humano

243. *convertirse* **a** Dios
en un héroe

244. *convidar* a alguien **a** comer
al cine

245. *convivir* **con** otros
en la misma época
en paz

246. *convocar* **a** junta
a los alumnos
para el jueves a los alumnos

247. *copiar* un escrito **a** máquina
a mano
a alguien **en** el vestir

248. *correr* **a** caballo
a hacer algo
con Juan
el riesgo **de** morir
hacia la muerte
el río **por** su cauce

249. *corresponder* una cosa **a** otra
con un regalo
de la misma manera

250. *cortar* el pelo **con** las tijeras
el mal **de** raíz
una cosa **en** tres partes
un dibujo **en** papel
la pierna **por** la rodilla

251. *cortarse* el pelo **a** navaja
con el cuchillo
en dos
por la mitad

252. *corto* **con** los extraños
de inteligencia
en razones

253. *coser* una cosa **a** otra
con hilo negro

254. *crecer* **de** tamaño
en virtudes

255. *creer* **a** Juan
en Dios

256. *creerse* **con** derecho a hacer algo

257. *criarse* **con** muchos cuidados
en una buena familia
entre buena gente

258. *cruel* **con** el enemigo
de condición
para el enemigo

259. *cruzar* la cara **a** uno
la página **con** una raya
la calle **por** el sitio señalado

260. *cruzarse* **con** alguien en la calle
de brazos

261. *cubrir* el cuerpo **con** ropa
el suelo **de** papeles
a alguien **de** atenciones

262. *cubrirse* **con** una manta
de gloria

263. *cuidado* **al** pasar la calle
con los coches
con lo que haces
del enfermo

264. *cuidadoso* **con** sus cosas
de su fama

265. *cuidar* **al** enfermo
del enfermo

266. *cumplir* **con** las obligaciones
de palabra

267. *curar* **al** enfermo
al enfermo **con** medicinas
de alguien o algo

268. *curarse* **al** aire
con el sol
con el tiempo
de la gripe
en salud

269. *curioso* **con** sus cosas
de saber
por saber

CH

270. *charlar* **con** los amigos
de mil cosas
por los codos
sobre mil temas

271. *chico* **de** cuerpo

272. *chocar* **con** un árbol
contra un árbol
en un árbol

D

273. *dañar* el frío **a** las plantas
en la flor

274. *dar* algo **a** alguien
las gracias **al** bienhechor
prisa **al** amigo
a conocer los resultados
con Juan
con un palo **a** la alfombra
con gasolina **a** la mancha
con la carga **en** el suelo
el coche *dio* **contra** un árbol
dar **de** palos a alguien
me *da* vergüenza **de** hacer eso*

* Es correcto también y uso culto más generalizado la construcción sin preposición: *me da vergüenza hacer eso*.

el sol *da* **en** el cristal
Antonio *dio* **en** coleccionar sellos
dar **en** el blanco
dar ocasión **de** hacer algo
por bueno el trabajo
por hecho el trabajo
limosna **por** otra persona
una vuelta **por** la ciudad

275. *darse* enteramente **a** los hijos
a conocer
a la bebida
con la cabeza **contra** la pared
con una piedra **en** el pecho
contra un árbol
de narices **con** su padre
por vencido
por enterado

276. *deber* dinero **a** alguien
de venir **a** las ocho*

277. *deberse* **a** sus hijos
a su patria

278. *decidirse* **a** tomar el avión

279. *decir* algo **a** alguien
de alguien
de memoria
de palabra
por escrito
por otro
una cosa **por** otra

280. *decirse* algo **a** sí mismo
para sí

* *Deber + infinitivo* significa obligación, y *deber de + infinitivo,* suposición, probabilidad. Es frecuente la confusión. Es mucho más frecuente el uso antiacadémico de *deber + infinitivo* en el sentido de probabilidad que el de *deber de + infinitivo* en el sentido de obligación.

281. *declarar* su amor **a** una mujer
a uno **por** enemigo
sobre un caso

282. *declararse* **a** una mujer
a favor de alguien o algo
en contra de alguien o algo

283. *dedicar* dos horas **al** estudio
a estudiar

284. *defender* sus ideas **con** razones
los árboles **contra** las heladas
al niño **de** la enfermedad

285. *defenderse* **con** las armas
contra el viento
del viento

286. *dejar* el negocio **al** hijo
de trabajar
a alguien **en** paz
el trabajo **para** mañana
una ciudad **por** otra
por escribir el último capítulo
sin hacer una cosa
al niño **sin** postre

287. *dejarse* **de** cortesías
de escribir dos personas

288. *derecho* **a** la vida
a vivir
de vivir
de asilo

289. *desagradable* **al** gusto
al paladar
con el público
de aspecto
de decir
en el trato
para el público

290. *desatarse* **de** sus cadenas
en insultos

291. *desayunar* **con** chocolate

292. *desbordarse* el agua **del** vaso
el río **en** el valle
por el valle

293. *descansar* **del** viaje
en un sillón
en el Señor
los pies **sobre** la mesa

294. *descargar* los sacos **del** camión
sus obligaciones **en** otra persona
la tormenta **en** la ciudad
sobre la ciudad

295. *descender* **a** la bodega
de la cima
de buena familia
desde la cima
el agua **en** torrentes
hacia el valle
hasta el valle
por la escalera de incendios

296. *descolgar* el cuadro **de** la pared

297. *descolgarse* **al** jardín
de la ventana
desde la ventana **al** jardín
hasta el jardín
por la cañería

298. *descomponer* una cosa **en** sus partes

299. *descomponerse* **en** varias partes

300. *desconfiar* **de** alguien o algo

301. *desconocido* **de** todos
entre su gente
para sus vecinos

302. *descontar* una cantidad **de** otra

303. *descontento* **con** su suerte
de la sentencia

304. *descubrirse* **al** amigo
con el amigo
por respeto

305. *descuidarse* **de** su obligación
en su obligación

306. *desdichado* **de** mí
de ti
en la elección
para gobernar

307. *desembarcar* **de** la nave
en el puerto

308. *desengañarse* **de** las mujeres

309. *deseoso* **de** cariño

310. *desesperarse* **del** resultado

311. *deshacerse* **del** inoportuno
de las joyas
en llanto

312. *designar* a alguien **con** su nombre
para el puesto
una fecha **para** la reunión
una cosa **por** otra

313. *desigual* **con** la gente
de carácter
en el trato

314. *desinteresarse* **de** la conversación

315. *desistir* **del** proyecto

316. *desleal* **a** la patria
con el amigo

317. *deslizarse* **al** vicio
en el hielo
entre los dedos
por la pendiente
sobre el hielo

318. *desnudo* **de** ropa
de afectos

319. *despachar* unos asuntos **con** su colega
a alguien **de** un sitio

320. *despedirse* **de** los amigos

321. *despegar* el sello **del** sobre
el avión **del** aeródromo

322. *despertar* **al** que duerme
de un sueño
de su error

323. *despertarse* **con** sed
de una pesadilla

324. *desprenderse* la fruta **del** árbol
de unas pesetas

325. *destacar* un color **de** los otros
en literatura
entre los compañeros
por su estatura.

326. *destinar* una cantidad **a** diversiones
al hijo **a** la Iglesia
una cantidad **para** vestir

327. *detenerse* **a** coger el abrigo
con los amigos
en la frontera

328. *determinarse* **a** salir
por el más joven

329. *devolver* una cosa **a** su dueño
mal **por** bien

330. *dichoso* **con** su suerte
de poder hacer el bien
en su estado

331. *diferencia* **de** una cosa **a** otra
entre los hermanos

332. *diferenciarse* un hombre **de** otro
en el acento
por el modo de hablar

333. *diferente* **a** los demás
de los demás

334. *difícil* **de** creer
para los niños

335. *digno* **de** admiración
para su categoría

336. *diligente* **en** el trabajo
para trabajar

337. *dimitir* **del** cargo

338. *diputado* **a** Cortes
en Cortes
por Madrid

339. *dirigir* la carta **a** Sevilla
su esfuerzo **a** conseguir el triunfo
al alumno **en** sus estudios
a alguien **hacia** Sevilla
a alguien **por** buen camino

340. *dirigirse* **a** una persona
a una ciudad
hacia Madrid
por el atajo

341. *disculparse* **con** el amigo
de sus palabras
por no asistir

342. *discutir* una orden **al** jefe
con el jefe
de política
por sus opiniones políticas
sobre política

343. *disfrazarse* **de** marinero

344. *disfrutar* **con** los amigos
de buena salud
en la ópera

345. *disgustado* **con** su novia
con tener que trabajar
de su palabra
por su actitud

346. *disgustarse* **con** el amigo
de tener que madrugar
por su actitud

347. *disimular* **con** el jefe

348. *disminuido* **de** recursos
en facultades

349. *disparar* **contra** el enemigo

350. *disponer* a alguien **a** hacer algo
de recursos
los árboles **en** hileras
los libros **por** materias

351. *disponerse* **a** salir
para salir

352. *dispuesto* **a** morir
para salir
para las matemáticas

353. *disputar* **con** el jefe
de filosofía
por la herencia
sobre historia

354. *distanciarse* **de** su familia
en ideas

355. *distante* **de** Madrid

356. *distar* un pueblo **de** otro

357. *distinguirse* **de** sus compañeros
en las letras
entre sus colegas
por su estatura

358. *distinto* **a** otro
de otro

359. *distraerse* **con** el vuelo de una mosca
de sus preocupaciones
en el estudio
por el ruido

360. *distribuir* la comida **a** los pobres
el queso **en** porciones
la carga **en** el banco
la riqueza **entre** los necesitados

361. *divertirse* **con** los amigos
en pintar

362. *dividir* la comida **con** el pobre
el queso **en** cuatro partes
la ganancia **entre** los socios
cien **entre** cinco
el pan **por** la mitad
cien **por** cinco

363. *divorciarse* **de** su esposa

364. *doblar* el sueldo **al** empleado
a la derecha
a muerto
una barra **de** un golpe
una hoja de papel **de** un lado
hacia la derecha
hasta encontrar una casa blanca
las campanas *doblan* **por** el difunto

365. las ramas *se doblan* **del** peso
hasta caer
por el peso

366. *doble* **de** la medida

367. *dócil* el caballo **a** la voz
de condición
para aprender

368. *doctor* **en** Filosofía

369. *dolor* **de** cabeza
en la cabeza

370. *domiciliarse* **en** Madrid

371. *don* **de** gentes
para convencer

372. *dormir* **a** pierna suelta
con el niño
con los ojos abiertos
en paz
en el Señor

373. *dormirse* **con** la música
en los laureles

374. *dudar* **de** su cariño
de que sea verdad
en salir
entre hacer una cosa u otra
sobre la honradez de alguien

375. *dulce* **al** gusto
de carácter
en el trato

376. *durar* una cosa **en** el mismo estado
para dos días
por tiempo indefinido

377. *duro* **de** corazón

E

378. *echado* **a** perder
de su patria
en la hierba
entre los árboles

379. *echar* una carta **al** buzón
a andar
a alguien **de** casa
de beber **al** perro
la manta **en** tierra
dos horas **en** hacer un trabajo
la manta **entre** los árboles
hacia el monte

para el monte
por el atajo
humo **por** el motor
a alguien **por** tierra
la carga **sobre** el asno

380. *echarse* **al** suelo
a llorar
la fruta **a** perder
el ejército **a** la calle
de beber
de la cama
en la cama
entre la hierba
hacia la derecha
para la pared
por el suelo
por el atajo
sobre el enemigo
sobre la cama

381. *educar* a alguien **en** los buenos principios
para rey

382. *educarse* **con** los jesuitas
en las viejas costumbres
para rey
para señorito

383. *elegir* **entre** varios
a alguien **para** presidente
por el color

384. *elevar* los ojios **al** cielo
un producto **de** precio
a alguien **por** los aires
a alguien **sobre** las nubes

385. *elevarse* **a** mil metros
de la tierra
en avión
por las nubes
sobre los demás

386. *embarazada* **de** seis meses
de su primer hijo
de su marido

387. *embarcarse* **con** un mal negocio
de pasajero
en un transatlántico
en un mal negocio
para América

388. *embestir* el toro **al** torero
contra el enemigo

389. *embobarse* **con** las chocolatinas
en el circo

390. *emborracharse* **con** aguardiente
de aguardiente

391. *embriagarse* **con** vino
de alegría

392. *emigrar* **a** Alemania
de España

393. *emitir* **a** todos los países
en español
en onda corta

394. *emocionarse* **con** la música
en la boda del hijo
por el dolor ajeno

395. *empapado* **de** agua
de las teorías revolucionarias
en leche

396. *empaparse* **de** ciencia
en la moral cristiana

397. *empatar* **a** dos puntos
con el Real Madrid
en el último minuto

398. *empezar* **a** hablar
a las seis
la conferencia **con** una cita

de nuevo
las vacaciones **en** julio
por presentar excusas
por el final

399. *emplear* una palabra **con** otro significado
el tiempo **en** el estudio
en estudiar
a una persona **para** hacer un trabajo

400. *emplearse* **con** un nuevo patrón
de camarero
en recoger fruta
en una fábrica

401. *empujar* **a** la salida del metro
a alguien **a** robar
la silla **con** el pie
a alguien **contra** la pared
hacia el abismo

402. *enamorarse* **de** María
de la nueva doctrina

403. *encaminarse* **a** la puerta
hacia la salida
para la cocina

404. *encararse* **al** jefe
con el jefe

405. *encargar* una cosa **a** un amigo
a alguien **de** un asunto
la comida **en** el restaurante
para seis
para las dos

406. *encargarse* **de** algún asunto

407. *encariñarse* **con** alguien o algo

408. *encender* el cigarro **a** la lumbre
con cerillas
en la lumbre

409. *encerrar* a alguien **con** llave
en un manicomio

410. *encerrarse* **con** llave
en casa
en una idea
entre cuatro paredes

411. *encogerse* **con** el frío
de hombros
por el frío

412. *encomendarse* **a** Dios

413. *encontrarse* **con** el amigo
con ánimo
en el teatro
entre los supervivientes

414. *endurecerse* **al** fuego
con el trabajo
en el ejercicio

415. *enemigo* **de** las mujeres
de trabajar

416. *enemistarse* **con** alguien

417. *enfadarse* **con** su novia
por la contestación

418. *enfermar* **con** el trabajo
con tanto trabajar
del pecho
de cuidado

419. *enfrentarse* **al** tirano
con el tirano
con grandes dificultades

420. *enfurecerse* **con** el criado
contra el criado
de ver injusticias
por las injusticias

421. *engañarse* **con** las apariencias
en la cuenta
por las apariencias

422. *engordar* **con** la buena comida

423. *enriquecerse* **con** negocios sucios
en sabiduría

424. *enseñar* **a** leer

425. *ensordecer* **con** el ruido
por el ruido

426. *ensuciarse* **con** tierra
de grasa
en el trabajo
en negocios turbios

427. *entender* **de** mecánica
en asuntos administrativos

428. *entenderse* **con** el socio
con la secretaria
en inglés
por señas

429. *enterarse* **del** asunto

430. *entrar* **a** la iglesia
a coger una paloma
de fraile
en la iglesia
tres naranjas **en** kilo
en calor
en razón
hacia las siete
hasta la cocina
por la puerta grande

431. *entregado* **al** estudio

432. *entregar* las rosas **a** la novia
dinero **en** préstamo

433. *entrenarse* **a** luchar
en natación
en el gimnasio

434. *entretenerse* **a** jugar
con un libro
en leer

435. *entrevistarse* **con** el embajador

436. *entristecerse* **a** la llegada del jefe
con la noticia
por la noticia

437. *entrometerse* **en** asuntos ajenos
entre marido y mujer

438. *envejecer* **con** los disgustos
de los disgustos
en el oficio
por los disgustos

439. *enviar* a alguien **al** pueblo
a buscar vino
a paseo
con flores
de representante

440. *envolver* al enfermo **con** una manta
en una manta
entre mantas

441. *equivorcarse* **al** hacer algo
de número
en la respuesta

442. *escaparse* **a** la calle
a jugar
con vida
de la prisión
en un coche
entre la gente
por el tejado

443. *escaso* **de** dinero

444. *escoger* una cosa **entre** varias
a María **para** mujer
por mujer a María

445. *esconderse* **a** la persecución
de alguien
en alguna parte

entre los árboles
por miedo

446. *escribir* una carta **a** la novia
a mano
con su propia mano
contra los enemigos
de Historia
de derecha **a** izquierda
en prosa
en los periódicos
en español
para el teatro
por correo ordinario
sin faltas de ortografía
sobre Historia

447. *escuchar* **con** silencio religioso
con atención
durante un instante
en silencio

448. *escupir* **al** suelo
al rostro
en el suelo

449. *esforzarse* **a** trabajar
en trabajar
por ganar dinero

450. *espantarse* **al** ver el accidente
con el ruido
de ver el accidente
por el ruido

451. *esperar* **al** amigo
a que venga el amigo
espero **de** Dios que ganaré el premio
espero **en** la calle
esperar **hasta** las dos
para comer

452. *estallar* **de** indignación
en insultos
un incendio **en** la ciudad

453. *estar* **a** la puerta
a cinco de mayo
a mil metros de altura
al habla
a diez pesetas el kilo
a diez grados
a la muerte
a oscuras
con el enemigo
con fiebre
con Dios
contra las nuevas ideas
de alcalde
de broma
de charla
de paso
de pie
en casa
en venta
en pie
entre amigos
para llegar
por otro
por salir
sin blanca
sobre la mesa

454. *estéril* **de** frutos
en frutos

455. *estimar* la fama **en** mucho
la casa **en** dos millones
una cosa **por** su justo valor

456. *estrechar* a uno **contra** su pecho
entre sus brazos

457. *estrecho* **de** manga
de conciencia

458. *estrellarse* **con** el coche
contra un árbol
en un árbol

459. *estremecerse* **al** ver el accidente
con la noticia
de frío
de horror

460. *estudiar* **a** Platón
con los jesuitas
en los jesuitas
para médico
por libre
sin maestro

461. *exacto* **en** las medidas

462. *exagerar* **con** la bebida
en la dosis

463. *examinarse* **con** el catedrático
de gramática

464. *exceso* **de** peso
en la comida

465. *excitar* al ejército **a** la rebelión

466. *excusarse* **con** el superior
de su acción
por su conducta

467. *exhibirse* **al** público
con el vestido de Eva
de pie
en público

468. *exigente* **con** los criados
en la comida
para los criados

469. *explicar* una cosa **con** todo detalle
la lección **en** el aula

470. *exponerse* **a** un peligro
a morir
471. *expresarse* **con** pocas palabras
de palabra
en pocas palabras
en español
por escrito
472. *extender* la pintura **con** la brocha
el mapa **sobre** la mesa
473. *extenderse* la mancha **al** techo
la ciudad **a** nuestros pies
el valle **de** norte **a** sur
en explicaciones
la llanura **hasta** el horizonte
la humedad **por** el suelo
la lluvia **sobre** el valle
474. *extraer* mineral **de** la mina
475. *extraño* **al** asunto
de ver

F

476. *fabricar* una casa **con** madera
de madera
477. *fácil* **a** cualquiera
a las caricias
de hacer
para cualquiera
478. *faltar* a la verdad
al respeto a alguien
a la palabra dada
una cosa **de** su sitio
de Madrid
desde las diez
una palabra **en** la frase
una peseta **para** las cien
un kilómetro **para** la llegada
por vender la casa

479. *familiarizarse* **con** las costumbres de otro país
en el manejo **de** un aparato

480. *fatigarse* **al** subir las escaleras
de andar
en querer triunfar
por sobresalir

481. *favorable* **a** alguien o algo
para alguien o algo

482. *favorecer* a alguien **con** su voto

483. *fecundar* un terreno **con** abono

484. *fecundo* **en** fruta

485. *felicitar* a alguien **de** palabra
en su cumpleaños
por su victoria
por escrito
por telegrama

486. *felicitarse* **del** éxito del hijo
por el éxito del hijo

487. *feliz* **con** su mujer
del viaje
en sus amores
en su compañía
entre los amigos
por su dinero
sin un céntimo

488. *fértil* **de** árboles frutales
en árboles frutales
en soluciones

489. *fiarse* **a** alguien
de alguien
en alguien

490. *fiel* **a** sus amigos
con sus amigos
en sus creencias
para sus amigos

491. *figurar* **de** director
en la lista
entre los muertos

492. *fijar* una cosa **a** la pared
un anuncio **con** chinchetas
en la pared
la vista **en** el libro
la residencia **en** Madrid
la fecha **para** la boda
la vista **sobre** una persona

493. *fijarse* **en** una persona
el dolor **en** una pierna
en lo que se dice

494. *fijo* **a** la pared
con chinchetas
en la pared

495. *firmar* **en** blanco
por otro

496. *firme* **con** los inoportunos
de piernas
en la decisión

497. *flaco* **de** memoria
en sus decisiones

498. *flaquear* **en** la virtud
por los cimientos

499. *flojear* **de** las piernas
en el esfuerzo
en el último minuto

500. *flojo* **de** piernas
en el trabajo
para el trabajo

501. *formar* a los jóvenes **con** el buen ejemplo
a la mujer **de** una costilla del hombre
a Adán **de** barro
en columna

entre los revolucionarios
por compañías

502. *formarse* **con** barro
con el sacrificio
del vapor de agua
en la lucha

503. *formar* **con** pieles
de pieles
en pieles

504. *fortalecerse* **con** buena comida
contra la enfermedad
en la convalecencia
por la gimnasia

505. *fortificarse* **con** sacos terreros
contra el enemigo
en un punto concreto

506. *forzar* a alguien **a** hacer algo
con amenazas

507. *fracasar* **en** el matrimonio

508. *frágil* **con** la humedad
de cuerpo

509. *franco* **a** todos
con todos
de carácter
en sus palabras
para todos

510. *freír* a uno **a** preguntas
una cosa **con** aceite
en aceite

511. *freírse* **de** calor

512. *frotar* una cosa **con** otra
contra otra

513. *fuerte* **a** las heladas
con los débiles
contra los ataques enemigos

de condición
en matemáticas

514. *fumar* **con** boquilla
en pipa

515. *funcionar* **con** electricidad

516. *furioso* **al** oírlo
con la noticia
contra Juan
de ira
por el suspenso

G

517. *ganar* dinero **a** otro
al ajedrez
a correr
con el cambio
contra todo pronóstico
de comer
en sabiduría
para mal vivir
por un tanto
por la mano
por los pelos

518. *gastar* **con** alegría
de su dinero
en comida
en comer

519. *gastarse* **con** el uso
en recomendaciones
por las coderas

520. *generoso* **con** los pobres
con el dinero ajeno
de espíritu
en acciones
para los pobres

521. *gente* **de** armas
de paz
del mar

522. *girar* **a** la derecha
con movimiento continuo
en redondo
hacia la derecha
hasta tal punto
por la derecha
sobre su eje

523. *gobernar* **con** acierto
con la ley
contra los intereses del pueblo
desde su torre de marfil
hasta el final
para el bien común
según la doctrina socialista
sin apoyo popular

524. *golpear* **a** la puerta
con las manos
en la mesa

525. *gordo* **de** cara

526. *gozar* **con** el bien ajeno
de buena salud
de Dios
en socorrer al pobre

527. *gozoso* **con** la noticia
del triunfo

528. *graduarse* **de** licenciado
en letras

529. *grande* **de** estatura
en sus acciones
por sus hechos

530. *grato* **al** oído
de recordar
para el oído

531. *grueso* **de** cuello

532. *guardar* el pan **con** llave
la casa **contra** los ladrones
el queso **de** los ratones
en la memoria un recuerdo
entre algodones algo delicado
un fruto **para** simiente

533. *guardarse* **del** frío
de hacer algo

534. *guerrear* **con** los moros
contra Francia

535. *guiar* a alguien **a** la victoria
en el aprendizaje
hacia la fuente
hasta la fuente
por el bosque

536. *gustar* **de** bromas
de charlar **con** los amigos

537. *gusto* **a** la música
para vestir
por las flores

H

538. *haber* **de** morir
dinero **en** la caja
veinte alumnos **en** clase
gran diferencia **entre** los dos hermanos
cuatro concursantes **para** una plaza
por plaza
hombres **sin** conciencia

539. *hábil* **con** la pistola
en la discusión
en discutir
para el puesto

540. *habitar* **con** unos amigos
en Madrid
entre salvajes

541. *hablar* **al** jefe
con alguien
contra el gobierno
de Juan
de política
de broma
desde la tribuna
durante dos horas
en francés
en broma
en latín
en cristiano
entre dientes
para todos
por su hermano
por teléfono
por hablar
sin ton ni son
sobre literatura

542. *hablarse* **con** el vecino
de usted

543. *hacer* algo **a** alguien
la llave **a** la cerradura
mención **a** un asunto
mucho dinero **con** poco esfuerzo
música **con** una botella
las cosas **con** inteligencia
de alcalde
de tripas corazón
del cuerpo
algo **de** vez **en** cuando
algo **desde** un sitio
algo **durante** el día
dulces **en** la sartén

bien **en** marcharse
algo **para** otro
algo **para** el día quince
algo **por** el enfermo
algo **por** la patria
proyectos **sin** base alguna
conjeturas **sobre** alguien o algo

544. *hacerse* **a** la idea
a vivir lejos de la patria
a un lado
a la mar
con buenos libros
de buenos amigos
de noche
de oro
de miel
algo **en** debida forma
en el tiempo señalado

545. *hallar* la solución **al** problema
a alguien **con** buena salud
la solución **del** poblema
a alguien **en** buen estado

546. *hallarse* **a** gusto
con Juan
de vacaciones
en casa
sin fuerzas
sobre la mesa

547. *hartarse* **a** fruta
con fruta
de fruta
de esperar

548. *harto* **de** pan
de esperar

549. *hecho* **a** vivir en una cueva
a la idea
al sufrimiento

al fuego
con barro
de barro
en barro

550. *helarse* **de** frío
de miedo

551. *heredar* **al** padre
de un pariente
en línea recta
por testamento

552. *herir* **con** la mano
de muerte
a alguien **en** su amor propio

553. *hermanar* cosa **a** cosa
con cosa
dos cosas **entre** sí

554. *hermanarse* una ciudad **con** otra
dos cosas **entre** sí

555. *hervir* la plaza **de** gente
en gente

556. *hincarse* **de** rodillas

557. *hincharse* **a** comer
con las alabanzas
de comer
por la victoria

558. *hombre* **al** agua
de armas
de buenas letras
de Dios
de fiar
para todo

559. *hoy* **en** día
por hoy

560. *huir* **al** desierto
a salvarse

de la ciudad
para salvarse
por la ventana

561. *humilde* **con** el jefe
de condición
en el vestir
para los humildes

562. *humillarse* **al** vencedor
a pedir perdón
con los poderosos

563. *hundirse* **en** el mar
en el vicio
entre los árboles

564. *hurtar* el cuerpo **al** toro
al trabajo
en el peso

I

565. *idéntico* **al** padre

566. *identificarse* **con** el jefe

567. *igual* **a** otro
con otro
en fuerzas

568. *igualar* **a** otro
con otro
en fuerzas

569. *imitar* una cosa **a** otra
al actor **en** la voz

570. *imponerse* **a** los sublevados
en sus obligaciones

571. *importar* mucho **al** jefe
mercancías **a** España
mercancías **de** Francia

572. *imposible* **de** escribir

573. *impresentable* **al** público
en la buena sociedad
entre la gente de bien

574. *impropio* **a** sus años
de su edad
en su edad
para su edad

575. *incapaz* **de** una mala acción
de cometer un crimen
para ese cargo

576. *incierto* **del** triunfo
en sus opiniones

577. *inclinación* **al** estudio
hacia el estudio
por el estudio

578. *inclinarse* **a** la virtud
a creer sus palabras
hasta el suelo
por su madre

579. *incluir* a uno **en** la lista
entre los buenos

580. *incorporar* una cosa **a** otra
en otra

581. *incorporarse* **al** ejército

582. *increíble* **a** muchos
para muchos

583. *indeciso* **en** sus actos
en obrar

584. *independiente* **de** todos
en sus opiniones

585. *independizarse* **de** los poderes
en el aspecto económico

586. *indiferente* **al** lujo
en su actitud

587. *indignarse* **con** alguien o algo
contra alguien
de una mala acción
por una mala acción

588. *indisponerse* **con** el jefe
contra alguien

589. *indulgente* **con** los amigos
en sus juicios
para los amigos

590. *infatigable* **en** el estudio
para el estudio

591. *infiel* **a** su mujer
con sus amigos
en sus tratos
para sus amigos

592. *influir* **con** el jefe
en el turismo
para el perdón
sobre los precios

593. *informar* **de** los acontecimientos al público
en el periódico
sobre el asunto

594. *ingrato* **a** los beneficios
con los amigos
para los amigos

595. *ingresar* **en** el convento

596. *inhábil* **en** sus negocios
para el cargo

597. *iniciar* a uno **en** los ministerios **de** la religión

598. *iniciarse* **en** teología

599. *inmediato* **al** ayuntamiento

600. *inocente* **del** crimen
en su conducta

601. *inquietarse* **con** las noticias
por las noticias

602. *insaciable* **de** dinero
en sus apetitos

603. *inscribirse* **en** el partido

604. *insensible* **a** los insultos

605. *inseparable* **de** la virtud

606. *insistir* **en** la petición
en hablar
sobre la petición

607. *inspirarse* **en** alguien o algo

608. *instruirse* **en** el manejo del arma

609. *integrarse* **en** un grupo

610. *inteligente* **en** matemáticas

611. *intentar* algo **contra** alguien

612. *interceder* **con** el juez
por el reo

613. *interés* **con** alguien o algo
en el resultado
por las noticias

614. *interesarse* **con** alguien o algo
en alguna empresa
por el enfermo

615. *internarse* **en** el bosque

616. *intervenir* **con** el juez
en el robo
para hacer algo
por el detenido

617. *intolerante* **con** los defectos ajenos
en materia religiosa

618. *introducir* la visita **al** salón
la mano **en** el agua
la carta **entre** los documentos
el hilo **por** el ojo de la aguja

619. *introducirse* **en** el salón
entre los que mandan
por la ventana

620. *inútil* **a** la patria
con la mano izquierda
de la mano izquierda
en ese asunto
para jefe

621. *invernar* **en** Extremadura

622. *invertir* dinero **en** fincas

623. *invitar* **a** uno **a** una copa
a cenar

624. *ir* **a** Francia
a París
a la escuela
al médico
a caballo
a la compra
a comprar pan
a por pan
va **a** llover
con su padre
con la moda
con cara alegre
de compras
de mañana
de un sitio **a** otro
de mal **en** peor
de acá **para** allá
desde un sitio **a** otro
desde un sitio **hasta** otro
en coche
en el coche **de** línea
en burro
entre la guardia civil
hacia Roma
hasta Roma

para Roma
para viejo
para ver al hijo
por carretera
por pan
por ver al hijo
por el hermano enfermo
sobre Roma

625. *irritarse* **con** todos
contra todos

626. *irse* **a** Francia
a París
a la escuela
a caballo
a la compra
a comprar pan
a por pan
con su padre
con la madrugada
con cara alegre
de compras
de mañana
de Madrid **a** Sevilla
desde Madrid **a** Sevilla
en coche
en el coche de línea
en burro
hacia Roma
hasta Roma
para Roma
para ver a su hijo
por carretera
por pan
por ver al hijo
por el hermano enfermo

J

627. *jubilarse* **de** su empleo

628. *jugar* **a** las cartas
al ajedrez
a asustarse
unos **con** otros
mil pesetas **en** la lotería
una cosa **por** otra

629. *juntar* una cosa **a** otra
con otra
cosas diversas **en** un mismo grupo

630. *juntarse* **a** los malos
con los malos
con una mujer

631. *jurar* **en** vano
por Dios
sobre los Evangelios

632. *justificarse* **con** el jefe
de sus palabras
la medida *se justifica* **por** sí misma

633. *juzgar* **a** deshonra una cosa
de alguna cosa
en una materia
entre dos partes
por deshonra hacer o no hacer algo
por las apariencias
según la ley

L

634. *laborar* **por** la humanidad

635. *labrar* la madera **a** cuchillo

636. *ladear* el cuerpo **a** la derecha
hacia la derecha

637. *ladearse* **al** hijo mayor
con un pequeño
por el hijo mayor
638. *lamentarse* **de** la desgracia
por la desgracia
639. *lanzarse* **al** mar
a pelear
contra el enemigo
en el mar
hacia la derecha
sobre la presa
640. *largo* **de** manos
en ofrecer
para su edad
641. *lastimarse* **con** una piedra
contra una piedra
en una piedra
642. *lavar* la ofensa **con** sangre
en sangre
643. *leer* **a** Cervantes
con voz reposada
en Cervantes
en la casa
en voz alta
entre líneas
644. *lejos* **de** tierra
de mí
de mi ánimo
de alegrarse, rompió **a** llorar
645. *lento* **de** comprensión
en decidirse
para comprender
646. *levantar* las manos **al** cielo
la silla **del** suelo
en alto
a alguien **por** las nubes
sobre todos

647. *levantarse* **con** lo ajeno
contra el gobierno
de la silla
en armas
hasta el cielo
por la mañana
sobre la punta **de** los pies

648. *liarse* **a** palos
la manta **a** la cabeza
con el trabajo
con una mujer

649. *liberal* **con** todos
de lo ajeno

650. *libertar* **a** alguien **de** la cárcel

651. *librar un cheque* **contra** un banco
a uno **del** peligro

652. *libre* **de** la cárcel
de hacer una cosa
en sus palabras

653. *licenciado* **en** Filosofía

654. *licenciarse* **del** ejército
en Filosofía y Letras

655. *lidiar* **con** los infieles
contra los infieles
por la fe

656. *ligar* una cosa **a** otra
con otra
varias cosas **entre** sí

657. *ligero* **de** pies
en firmar

658. *limitado* **de** talento
en ciencia

659. *limitar* **con** Francia
por los Pirineos

660. *limitarse* **a** copiar

661. *limpiar* una cosa **con** el pañuelo
la tierra **de** malas hierbas
una ciudad **de** maleantes
una cosa **en** el pañuelo

662. *limpiarse* **con** el pañuelo
de culpas
en el pañuelo

663. *limpio* **de** manos
en su traje
en el hablar

664. *loco* **con** su nieto
de amor
de atar
en sus acciones
por la poesía
por su novia

665. *lograr* una cosa **de** alguien

666. *luchar* **con** alguno
contra alguno
por obtener algo

LL

667. *llamar* **a** la puerta
a voces
a uno **a** dirigir una empresa
a alguien **con** la mano
de tú
para comer
por señas
por el apodo

668. *llamarse* **a** engaño

669. *llegar* **a** casa
a ministro
el gasto *llegó* **a** mil pesetas

la falda le *llega* **a** las rodillas
Juan *llegó* **a** la media hora **de** la cita
Juan y Pedro *llegaron* **a** las manos
Juan *llegó* ayer **con** Pedro
con buenas noticias
de Alemania
en coche
hasta el rey
por tren
el vestido le *llega* **por** la rodilla
llegar **a** un sitio **sin** dificultad

670. *llegarse* **al** ayuntamiento
hasta la catedral
por el bar

671. *llenar* el vaso **con** vino
de agua
a alguien **de** insultos
el vaso **hasta** el borde

672. *llenarse* la casa **de** polvo

673. *lleno* **a** rebosar
de alegría
hasta los topes
hasta la bandera

674. *llevar* algo **a** un sitio
una desgracia **con** paciencia
dinero **en** el bolsillo

675. *llevarse* la mano **a** la boca
bien **con** el vecino
tres años **con** el hermano
el equipaje **por** delante

676. *llorar* **de** alegría
por el hijo muerto

677. *llover* **a** cántaros
desgracias **sobre** uno
sobre mojado

M

678. *maldecir* **al** enemigo
 de su suerte

679. *maldito* **de** Dios

680. *malgastar* el dinero **con** los amigos
 en juergas

681. *malo* **con** su padre
 de condición
 para su padre

682. *maltratar* a alguien **de** palabra

683. *manar* agua **de** una fuente

684. *manco* **de** la mano derecha

685. *manchar* la ropa **con** tinta
 de tinta

686. *mandar* a uno **a** un recado
 una carta **al** correo
 a uno **a** paseo
 de recadero
 en su casa
 una cosa **por** el tren

687. *manifestar* su pensamiento **al** amigo
 su parecer **contra** todos
 la verdad **en** el rostro

688. *manso* **de** condición

689. *mantener* correspondencia **con** alguien
 la casa **en** buen estado

690. *mantenerse* **con** hierbas
 en forma
 en sus trece

691. *marchar* **a** Madrid
 con Juan
 de Madrid
 de Madrid a Barcelona
 en coche

hacia Madrid
para Madrid
por carretera
sin dejar dirección

692. *marcharse* **a** Madrid
con su novio
de vacaciones
en coche
hacia Madrid
para Madrid
por carretera
sin equipaje

693. *marearse* **con** el vino
en el viaje

694. *más* **de** cien pesetas
del doble

695. *matar* a alguien **a** palos
a trabajar
con un palo
de un tiro
de hambre

696. *matarse* **a** trabajar
con otro
contra un árbol
por ir **al** cine

697. *mayor* **de** edad
en estatura

698. *medir* la tela **con** el metro

699. *menor* **de** edad
en años

700. *menos* **de** cien pesetas
de la mitad

701. *meter* al hijo **a** trabajar
de dependiente
algo **dentro de** la caja
dinero **en** el banco

un papel **entre** las hojas de un libro
una cosa **por** la ventana

702. *meterse* **a** fraile
con la gente
de camarero
en casa
en líos
entre los árboles
por el bosque

703. *mezclar* agua **con** vino

704. *miedo* **a** alguien
a morirse
de alguien
de morirse
por el enfermo

705. *mirar* a alguien **a** la cara
con buenos ojos
de reojo
una cosa **en** el espejo
hacia un sitio
para un sitio
por el ojo de la cerradura

706. *mirarse* **al** espejo
de reojo
en el espejo

707. *misericordioso* **con** los pobres

708. *molestar* a otro **con** sus palabras

709. *molestarse* **con** los amigos
en hacer algo
por algo

710. *molesto* **con** Juan
de los pies
en el trato
para todos
por sus voces

711. *montar* **a** caballo
en burro
en avión
sobre los hombros

712. *morir* **a** manos de la justicia
con las botas puestas
de la peste
en el río
en el cumplimiento del deber
por la patria

713. *morirse* **de** hambre
de risa
por María
por comer

714. *moverse* **a** la derecha
a obrar
del sitio
hacia la pared
hasta un sitio
para un lado
por dinero
por el campo

715. *mudar* una cosa **a** otro sitio
de vida

716. *mudarse* **de** ropa
de casa

717. *murmurar* **contra** el prójimo
de los ausentes

N

718. *nacer* **a** la política
con buena estrella
de buena madre
en Madrid
en buena hora

para trabajar

719. *nadar* **a** braza
de espaldas
en la mar
en oro
entre dos aguas

720. *natural* **de** Sevilla

721. *navegar* **a** América
con viento fresco
contra corriente
entre dos aguas
hacia América
para América
cinco millas **por** hora
sin rumbo fijo

722. *necesario* **a** la salud
para la salud

723. *necesitar* **a** alguien
dinero **para** vivir

724. *negarse* **a** algo
a venir
de plano

725. *negociar* **con** cereales
con los alemanes
en vinos

726. *noble* **de** cuna
en sus obras
por su origen

727. *nombrar* a uno **para** ministro
por único heredero

728. *nuevo* **en** esta plaza

O

729. *obedecer* **al** superior

730. *obligar* a uno **a** hacer algo

con amenazas
por la fuerza

731. *obrar* **con** malicia
en conciencia
por amor de Dios

732. *obsequiar* a alguien **con** flores

733. *ocultar* una cosa **a** otro
con otra
en un sitio
entre otras

734. *ocultarse* **a** otro
con la hierba
de otro
en el bosque
entre los árboles

735. *ocuparse* **con** un negocio
del enfermo
de trabajar
en trabajar
en negocios importantes

736. *odiar* a alguien **a** muerte
de muerte

737. *ofenderse* **con** sus palabras
de todo
por todo

738. *ofrecer* una copa **al** amigo
una cosa **por** otra

739. *ofrecerse* **a** hacer algo
de camarero
para hacer algo
por servidor

740. *oír* algo **con** sus propios oídos
en confesión
por sus propios oídos

741. *oler* **a** rosas

742. *olvidarse* **de** alguien o algo

743. *operarse* **de** apendicitis

744. *opinar* **de** alguien o algo
sobre alguien o algo

745. *oponer* una barrera **a** la nieve
contra la nieve

746. *oponerse* **al** tirano
a la injusticia
por la fuerza

747. *oportuno* **al** caso
en la réplica
para el caso

748. *oprimir* **al** pueblo **con** el poder

749. *orar* **con** fervor
por la paz

750. *ordenar* a uno **de** sacerdote
las cosas **en** filas
los libros **por** materias

751. *organizarse* **en** batallones
por oficios
según las normas

752. *orgulloso* **con** todos
de su dinero
en sus gestos
por su dinero

753. *orientarse* **con** la brújula
en las sombras
hacia la salida

P

754. *padecer* **con** bromas **de** otro
de los nervios
en la honra
por Dios

755. *pagar* **al** contado
con buenas palabras
de su propio bolsillo
en divisas
para Navidad
por otro
según lo convenido

756. *palidecer* **con** la noticia
de ira

757. *parar* **a** la puerta
a las cinco
con el freno de mano
contra la pared
de escribir
en la puerta
en la casa de su tío
en seco

758. *pararse* **a** la puerta
a las cinco
a descansar
con el amigo
de golpe
en la puerta
para descansar

759. *parecerse* **a** otro
de cara
en la manera de hablar

760. *participar* **de** las ganancias
en el negocio

761. *partir* **a** Italia
la copa **con** el mendigo
de España
de mañana
desde la nada
una cosa **en** pedazos
entre los amigos
hacia Italia

para Italia
una cosa **por** la mitad

762. *pasar* **al** salón
a saludar a alguien
a mejor vida
el gasto **de** mil pesetas
algo **de** moda
de uno **en** uno
una cosa **en** silencio
la noche **en** un sueño
entre los árboles
por la calle
por alto una ofensa
dos días **sin** beber

763. *pasarse* **al** enemigo
con poco
de listo
de la estación de destino
en claro toda la noche
por el despacho
sin el coche

764. *pasear* **a** pie
a orillas de la mar
con la novia
en barca
por el jardín
sobre la arena

765. *pasearse* **a** pie
al sol
con Juan
en barca
por el campo
sobre la arena

766. *pecar* **con** la intención
contra el octavo mandamiento
de palabra
de ignorante

en alguna cosa
por exceso

767. *pedir* una cosa **a** gritos
con insistencia
una mujer **en** matrimonio
para las ánimas
por Dios
por esposa a una mujer

768. *pegar* el sello **a** la carta
fuego **a** la casa
el sello **con** goma
contra la pared
un cartel **en** la pared
golpes **sobre** la mesa

769. *pegarse* **a** los faldones de uno
con otro
el arroz **en** la cazuela

770. *peinarse* **a** raya
con la raya a un lado
hacia atrás

771. *pelar* la naranja **con** la mano

772. *pelear* **a** puñetazos
con los vecinos
con los puños
contra el invasor
por la patria

773. *pensar* algo **de** alguien o algo
en la novia
en ir al cine
por otro

774. *perder* **al** mus
con buenas cartas
algo **de** vista
en el juego
por dos puntos

775. *perderse* **con** sus compañeros
de la madre
en el camino
entre los árboles
para la causa
por beber

776. *perdonar* **a** los enemigos
por amor **de** Dios

777. *perfecto* **en** su clase

778. *perjudicar* a alguien **con** su declaración
en mil pesetas
por su declaración

779. *permanecer* **al** acecho
con los ojos abiertos
de rodillas
en Madrid
entre los árboles
sin moverse
sobre la cama

780. *perseguir* **a** la fiera **con** perros
hasta cazarla
sin descanso

781. *pesado* **de** cuerpo
en la conversación

782. *pescar* **a** río revuelto
con red
en el río

783. *picar* **con** un alfiler
de la ensalada
en todo

784. *picarse* **con** alguno
en el agujero
por todo

785. *pillar* **a** uno **con** las manos en la masa
de buen humor
en mala compañía
sin dinero

786. *pillarse* las manos **con** la puerta
contra la pared
entre las tablas

787. *pinchar* la aceituna **con** el palillo
en hueso
en el kilómetro cien

788. *pintar* un cuadro **al** óleo
con pinceles
de azul
en la pared
sin brocha

789. *pisar* **con** la punta del pie
de puntillas
en la alfombra
sobre la alfombra

790. *plantar* a uno **en** la calle

791. *plantarse* **con** seis y media
en Madrid
en los cincuenta

792. *platicar* **con** la vecina
de política
sobre los impuestos

793. *poblar* el monte **con** pinos
de árboles

794. *pobre* **de** espíritu
de mí
en recursos minerales

795. *pocos (-as)* **de** nosotros (-as)
en número

796. *poder* **con** la carga
con alguno

797. *poner* a uno **a** trabajar
al corriente **de** un negocio
a prueba
un escrito **a** máquina

a precio su cabeza
una cosa **con** otra
la silla **contra** la pared
a uno **de** alcalde
  de buen humor
dos horas **de** Madrid **a** Toledo
una cosa **en** su sitio
en duda sus palabras
en marcha un negocio
a uno **en** la calle
  en ridículo
a uno **entre** rejas
  por ejemplo
un libro **sobre** la mesa

798. *ponerse* **a** predicar
  a trabajar
  al corriente de un negocio
  a salvo
  a bien con Dios
  triste **con** la noche
  contra la ley
  de rodillas
  de acuerdo
  en un sitio
  en guardia
  en ridículo
  en camino
  entre dos contendientes
  triste **por** la noticia
  sobre la mesa

799. *posarse* el pájaro **en** la rama
  sobre la rama

800. *poseer* una cosa **con** todo derecho
  contra la voluntad de su dueño
  de buena fe
  durante cinco años
  en propiedad
  por cinco años
  sin razón

801. *posterior* **a** Cristo

802. *postrarse* **a** los pies de la Cruz
de rodillas
de dolor
en cama
por el suelo

803. *predicar* el Evangelio **a** los humildes
con el ejemplo
en desierto
entre infieles
por todas partes

804. *preferido* **de** su padre
entre todos
para el cargo
por todos

805. *preferir* Juan **a** Pedro
prefiero sugerir **a** definir
una cosa **entre** varias
a Pedro **para** el cargo

806. *preguntar* una cosa **a** alguno
de literatura al alumno
para saber
por el amigo
sobre literatura

807. *premiar* a uno **en** el concurso
por su aplicación

808. *premio* **a** sus servicios
de sus servicios
por sus servicios

809. *prender* una prenda **a** otra
con alfileres
de un gancho
en un gancho
una planta **en** tierra
el fuego **en** la hierba seca

810. *preñada* la vaca **de** cinco meses
la mente **de** malas ideas
la nube **de** agua

811. *preocuparse* **con** alguna cosa
de alguna cosa
por alguna cosa

812. *prepararse* **a** salir
con el estudio
contra el frío
para las elecciones
para pelear

813. *presentar* una persona **a** un amigo
excusas **al** ofendido
una cuestión **desde** el lado bueno
a una joven **en** sociedad
a uno **para** un puesto
una cuestión **por** el lado bueno

814. *presentarse* **al** jefe
a un concurso
con mal aspecto
de mal humor
en la corte
para diputado
por candidato
por Madrid
por primera vez
sin armas

815. *preservarse* **del** frío

816. *prestar* un libro **a** un amigo

817. *prestarse* **a** un negocio sucio

818. *presumir* **de** rico
de hablar bien

819. *prevenir* al jefe **contra** el nuevo empleado
a uno **de** un peligro

820. *prevenirse* **con** lo necesario
contra el peligro

de lo necesario
para el viaje

821. *primero* **de** todos
en todo
en llegar
entre todos

822. *principiar* **con** un saludo
por un saludo

823. *pringarse* **con** grasa
de grasa
en un millón

824. *privarse* **de** fumar

825. *probar* **a** hacer algo
de todo
el cuchillo **en** la uña

826. *proceder* **a** la elección
con corrección
contra los morosos
una cosa **de** otra
el barco **de** América
en justicia
sobre seguro
sin vergüenza

827. *producir* **de** todo

828. *producirse* **en** todo el país
en forma violenta

829. *profesar* amistad **a** alguien
en una orden religiosa

830. *profundizar* **en** un asunto
hasta veinte metros
hasta encontrar agua

831. *progresar* **con** nuevos métodos
en matemáticas
por otros caminos

832. *prometer* a alguien **en** matrimonio
por esposa

833. *prometerse* **a** Dios
en matrimonio

834. *pronto* **al** enfado
a enfadarse
de genio
en las respuestas
para el trabajo

835. *propagar* el fuego **a** la casa
sus ideas **con** entusiasmo
la epidemia **en** la comarca
un rumor **entre** los enemigos
una epidemia **por** la comarca
rumores **sin** fundamento

836. *propasarse* **a** murmurar
con una dama
en la confianza
en sus palabras

837. *propio* **al** caso
del caso
de su edad
en su edad
para el caso
para convencer

838. *proponer* la paz **al** contrario
a alguien **en** primer lugar
a uno **para** un puesto
por árbitro

839. *proporcionar* algo **al** amigo
el trabajo **con** el descanso

840. *prorrogar* el contrato **al** criado
hasta fin de año
el plazo **para** el pago
el contrato **por** un paño

841. *proteger* los ojos **con** gafas
contra la luz excesiva
del sol
a alguien **en** su trabajo

842. *protestar* **contra** la injusticia
del atropello
por sus palabras

843. *provocar* **a** lástima a alguien
a uno **a** reñir
con los gestos

844. *próximo* **a** la muerte
a morir

845. *publicar* la noticia **a** los cuatro vientos
con censura
en la prensa
sin censura

846. *pudrirse* una cosa **con** la humedad
de vieja
en la soledad

847. *purgar* un libro **de** errores
una pena **por** un robo

848. *purgarse* **con** aceite de ricino
de la culpa

849. *purificarse* **con** la penitencia
del pecado

Q

850. *quedar* **a** deber una cantidad
con un amigo **a** las cinco
con un amigo **en** el bar
de pie
en casa
en paz
en buen lugar

en volver
entre los cinco primeros
hacia el norte
para contarlo
para vestir santos
por cobarde
la casa **por** vender

851. *quedarse* **a** cenar
a oscuras
con lo ajeno
con una cosa **en** el pecho
de pie
de alcalde
en Toledo
en la cama
entre dos fuegos
hasta las doce
para tía
para contarlo
por amo
compuesta y **sin** novio
sin blanca

852. *quejarse* **a** Juan
de Pedro
de la cabeza
de vicio
en un tribunal
por el dolor

853. *quemarse* **con** una chispa
de alguna palabra
por alguna palabra

854. *querer* bien **a** alguien
con toda el alma
no *querer* cuentas **con** alguien
querer algo **para** sí
a una mujer **por** esposa

855. *quien* **de** ellos
entre los amigos

856. *quitar* algo **a** alguien o algo
la mota **del** ojo

857. *quitarse* **de** líos
de fumar

R

858. *rabiar* **contra** el jefe
de hambre
de verse juntos
por verse juntos

859. *radiar* **en** tal frecuencia
por tal frecuencia

860. *rascarse* **con** las uñas
en la cabeza

861. *razonar* **con** alguno
sobre un problema

862. *rebajar* el precio **a** dos duros
el vino **con** agua
una cantidad **de** otra
cien pesetas **en** el precio

863. *rebajarse* **al** jefe
a pedir perdón
de rancho
por enfermo

864. *rebelarse* **contra** el gobierno

865. *rebosar* **de** alegría
en agua

866. *rebozar* el pescado **con** huevo
en huevo

867. *recaer* **en** la falta
en la enfermedad
la elección **en** el más digno
sobre el más digno

868. *recalcar* lo dicho **con** sus palabras

869. *recapacitar* **sobre** un asunto

870. *recibir* algo **a** cuenta
uno **a** Dios
una cosa **de** alguien
a uno **de** criado
en el salón
a una mujer **por** esposa

871. *reclamar* un libro **al** amigo
una cosa **con** soberbia
contra un pariente
de un amigo
en juicio
para sí
por daños y perjuicios
sin razón

872. *reclinar* la cabeza **contra** la pared
en la silla
sobre la mano

873. *reclinarse* **en** el respaldo
sobre el respaldo

874. *recoger* las limosnas **a** manos llenas
la falda **con** el cinturón
una cosa **del** suelo
la manga **en** la hombrera

875. *recogerse* **a** casa
a meditar
en sí mismo

876. *recompensar* un favor **con** otro
a alguien **de** sus servicios
por sus servicios

877. *reconcentrarse* el odio **en** el corazón

878. *reconciliarse* **con** el amigo

879. *reconocer* mérito **en** alguien o algo
a uno **por** hijo

880. *reconquistar* una ciudad **de** los moros

881. *recorrer* el campo **con** la vista
un país **de** un extremo **a** otro
desde un extremo **hasta** otro
diez kilómetros **en** bicicleta

882. *recostarse* **en** la cama
sobre la cama

883. *recrearse* **con** el cuadro
en su obra
en recordar

884. *recubrir* la mesa **con** un mantel
el altar **de** flores

885. *recuperarse* **de** una enfermedad

886. *recurrir* **al** amigo
contra la sentencia
de la sentencia

887. *rechazar* al enemigo **con** las armas
en su terreno
hacia la frontera
hasta la costa
una mercancía **por** su estado

888. *redactar* un escrito **a** mano
en latín

889. *redimir* al mundo **con** la Cruz
de la esclavitud
por la Cruz

890. *redimirse* **con** el trabajo
de su ignorancia
por el trabajo

891. *reducir* una cosa **a** la mitad
la casa **a** cenizas
las pesetas **a** céntimos

892. *reducirse* **a** lo más preciso
a la razón
en los gastos

893. *reemplazar* a uno **con** otro
en su puesto
por otro

894. *reencarnarse* **en** un león

895. *refinarse* **con** el trato de personas cultas

896. *reflejar* la luz **en** el espacio
sobre el espejo

897. *reflexionar* **en** lo dicho
sobre una materia

898. *reformarse* **en** sus costumbres

899. *reforzar* la memoria **con** ejercicios
una cosa **contra** otra

900. *refregar* la cazuela **con** el estropajo
una cosa **contra** otra

901. *refrescar* el cuerpo **con** un baño
los labios **con** un pañuelo húmedo
el cuerpo **en** el río

902. *refugiarse* **a** sagrado
contra las bombas
del bombardeo
en el puente

903. *regalar* flores **a** la novia
el oído **a** alguien
al amigo **con** un buen vino

904. *regalarse* **con** buenos vinos
en dulces recuerdos

905. *regañar* **con** el amigo
a uno **con** buenos modos
por su falta

906. *regar* la comida **con** un buen vino
su recuerdo **de** lágrimas
en llanto

907. *regocijarse* **con** el hijo
de ir al cine

de la noticia
en el Señor
por el amigo

908. *regodearse* **con** la noticia
en el ridículo ajeno
por una buena noticia

909. *regresar* **a** la patria
a tiempo
con retraso
del extranjero
en tren
hacia fin de año
para fin de año
por mar
sin avisar

910. *reinar* **en** España
el terror **entre** las gentes
sobre millones de personas

911. *reír* las gracias **a** Pedro
mucho **con** Pedro
para sus adentros
sin recato

912. *reírse* **a** carcajadas
con las cosas de Pedro
de Juan
entre dientes
hasta morirse
para sus adentros
por algo

913. *relacionarse* **con** otras personas
entre sí

914. *relajarse* **con** el yoga
en la conducta

915. *relamerse* **con** el pastel
de gusto

916. *relevar* a uno **del** cargo
en el mando

917. *rellenar* el hoyo **con** tierra
el saco **de** trigo

918. *remar* **con** un solo remo
contra corriente
en galeras

919. *rematar* **al** enemigo
el poema **con** un pareado
de cabeza
la torre **en** cruz

920. *remedio* **al** dolor
contra el dolor
en el dolor
para el dolor

921. *remirarse* **al** espejo
en el espejo
en el hijo

922. *remontarse* **al** cielo
hasta el siglo V
por los aires
sobre los demás

923. *remover* una cosa **de** su sitio
las cosas **en** el armario
los recuerdos **en** su memoria

924. *renacer* **a** la vida
con la gracia
en Jesucristo
por la gracia

925. *rendir* el caballo **a** su voluntad
al caballo **con** la carga
a uno **de** trabajar

926. *rendirse* **al** enemigo
a la razón
con la carga
de fatiga

927. *renegar* **del** amigo
de una doctrina

928. *renovar* la fe **con** la penitencia
una letra **en** el banco
la fe **por** la penitencia

929. *renunciar* **a** un proyecto
sus derechos **en** su hijo
sobre una cosa

930. *reñir* **al** hijo
con la novia
entre sí
por la herencia
sin motivos

931. *reparar* los perjuicios **con** favores
en un detalle

932. *repartir* tierras **a** los agricultores
algo **a** partes iguales
sus bienes **con** los pobres
una cosa **en** partes iguales
la herencia **entre** los pobres
mil pesetas **por** cabeza

933. *repasar* la lección **con** un compañero
en una hora
hasta la última palabra
para el examen
por el mismo camino

934. *repetir* la lección **con** un compañero
de un plato
algo ce **por** be

935. *replicar* **al** adversario
con nuevas razones
contra lo dicho por otro

936. *repoblar* **con** nuevos árboles
el monte **de** pinos

937. *reponer* lo robado **a** la caja
a alguien **en** su puesto

la salud **en** el campo
a uno **por** otro

938. *reponerse* **con** buenos alimentos
de la enfermedad
en el campo
en tres meses

939. *representar* **al** rey
el dolor **con** gestos
las vacaciones *representan* mucho **para** los jóvenes

940. *reprimir* la sublevación **con** las armas
por las armas

941. *reprimirse* **de** hablar

942. *resbalar* **con** el hielo
en el hielo
sobre el hielo

943. *resbalarse* **con** el hielo
de las manos
de entre las manos
entre las manos
por la pendiente

944. *resentirse* **con** alguien
contra alguien
del costado
en el costado
por sus palabras
sin razón

945. *reservar* algo **para** la vejez

946. *reservarse* **al** comienzo de la pelea
en los dos primeros asaltos
para el final

947. *resguardarse* **con** la pared
contra la lluvia
de la lluvia

948. *residir* **en** la ciudad
entre personas cultas

949. *resignarse* **al** sufrimiento
a morir
con su suerte
en la adversidad

950. *resistir* **a** la violencia
con uñas y dientes

951. *resistirse* **a** la policía
con las armas
por las armas

952. *resolverse* **a** huir
el agua **en** vapor
por determinado partido

953. *resonar* la ciudad **con** cánticos
en cánticos

954. *respaldarse* **contra** la pared
en la silla

955. *respetar* a uno **en** su saber
por su saber

956. *respeto* **a** los ancianos
para los ancianos

957. *respetuoso* **a** las leyes
con las leyes

958. *respirar* **con** la boca abierta
con la buena noticia
con dificultad
de alegría
por boca de otro

959. *resplandecer* algo **al** sol
con el sol
de alegría su cara
en sabiduría
entre todos
por la luz

960. *responder* **a** la pregunta
a tiros

con cabeza
con dinero
de palabra
del comportamiento de otro
en términos duros
por otro
por escrito

961. *restar* fuerzas **al** enemigo
una cantidad **de** otra

962. *restituir* lo robado **a** su dueño
a uno **en** sus estados
una cosa **por** otra

963. *resucitar* **de entre** los muertos
en cuerpo y alma
por su propia virtud

964. *resuelto* **a** obrar
a todo
con sus superiores
en la acción
para obrar

965. *resultar* el kilo **a** cien pesetas
con heridas

966. *resumir* un libro **en** cuatro palabras

967. *retardar* la salida **al** tren
del tren
la marcha **por** varios días
sin causa justificada

968. *retener* algo **contra** la voluntad de su dueño
la mercancía **en** la aduana
algo **para** sí
algo **por** miedo

969. *retirarse* **al** desierto
con orden
del mundo
en orden
hacia el norte

hasta la frontera
por dos horas
sin orden

970. *retornar* **a** su país
en sí

971. *retozar* **con** los amigos
en el prado
por el prado

972. *retratarse* **con** sus propias palabras
de perfil
en su libro

973. *retroceder* **a** un sitio
de un sitio
de un sitio **a** otro
desde un sitio
desde un sitio **a** otro
desde un sitio **hasta** otro
en el camino
hacia un sitio
hasta un sitio
por la fuerza

974. *reunir* los libros **en** la biblioteca
al pueblo **para** una asamblea
a los soldados **por** estatura
a los alumnos **según** su edad

975. *reunirse* **a** cantar
con los amigos
en el club
para hablar

976. *revender* las entradas **a** un millón
algo **con** mucha ganancia
en un millón
en el mercado negro
para ganar mucho
por ganar mucho
sin provecho

977. *reventar* **de** risa
por hablar

978. *revestirse* **con** los hábitos sagrados
de facultades para hacer algo
de paciencia

979. *revolcarse* **en** el fango
en el vicio
por el suelo
sobre la hierba

980. *revolver* a uno **con** otro
Roma **con** Santiago
algo **en** la mente
entre sí

981. *revolverse* **contra** el enemigo
hacia el enemigo
sobre el enemigo

982. *rezar* **a** todos los santos
eso no *reza* **con** Juan
rezar **por** los difuntos

983. *rico* **con** su herencia
de virtudes
en fruta
por su familia

984. *ridículo* **en** su forma de hablar
por su traza

985. *rígido* **con** sus hijos
de carácter
en sus principios
para su familia

986. *rivalizar* **con** otro
en belleza
por el primer puesto

987. *robar* el tiempo **a** alguien
la voluntad **con** sus palabras

988. *robustecer* la autoridad **con** leyes

989. *robustecerse* **con** el ejercicio
en el ejercicio
por el ejercicio

990. *rodar* **de** lo alto
desde la cumbre
en el suelo
hacia el llano
hasta la orilla
por tierra

991. *rodear* la ciudad **con** una muralla
de murallas
por el bosque

992. *rodearse* **de** amigos

993. *rogar* **por** los difuntos

994. *romper* **a** reír
a llover
con la novia
en risa
en llanto
por lo más débil

995. *rondar* **a** la novia
en patrullas
por las calles

996. *rozar* la cabeza **con** el peine
una cosa **contra** otra

S

997. *saber* **a** vino
a qué carta quedarse
algo **al** dedillo
con qué dinero se cuenta
algo **de** alguien
de medicina
de todo

algo **para** sus adentros
contar **por** los dedos

998. *sabor* **a** menta
de menta

999. *saborearse* **con** el dulce

1.000. *sacar* a alguien o algo **a** la calle
a pasear al niño
con bien un negocio
al niño **de** la escuela
a uno **de entre** las garras de la fiera
algo **en** limpio
la verdad **por** la cara

1.001. *sacarse* un conejo **de** la manga
la camisa **por** la cabeza

1.002. *sacrificar* la vida **a** Dios
al pueblo **con** impuestos
la vida **por** la patria

1.003. *sacrificarse* **a** no fumar
en pagar lo que debe
por el hijo

1.004. *salida* **al** jardín
de humos
en falso

1.005. *salir* **a** la calle
a trabajar
a misa
a su padre
a flote
con un amigo
con una chica
con las manos en la cabeza
contra el enemigo
de casa
de compras
de pobre
de entre los árboles

en camisa
en los periódicos
entre los primeros
hacia la frontera
hacia las diez
para Barcelona
por la ventana
el kilo **por** cien pesetas
por peteneras

1.006. *salirse* **con** la suya
de la regla
por la tangente

1.007. *saltar* **a** tierra
una cosa **a** los ojos
a pies juntillas
con pértiga
de la cama
de alegría
del avión
en tierra
entre las peñas
hacia atrás
hasta la línea
para atrás
por la ventana
sobre la mesa

1.008. *salvar* la vida **a** alguien
a uno **del** peligro

1.009. *salvarse* **a** nado
del olvido
en un bote
por pies

1.010. *sanar* **de** la enfermedad

1.011. *sangrar* **de** la ceja izquierda
por la nariz

1.012. *secar* fruta **al** aire

el rostro **con** un pañuelo
algo **en** el horno

1.013. *secarse* **al** sol
a la toalla
con la toalla
en la toalla
los campos **por** falta de lluvia

1.014. *sediento* **de** placeres

1.015. *seguir* una cosa **a** otra
con la misma empresa
de huelga
de cerca **al** ladrón
en el poder
entre rejas
hacia Cádiz
hasta el fin
para Cádiz
por la misma calle

1.016. *seguro* **contra** incendios
de ganar
de enfermedad
sobre la vida

1.017. *sembrar* el camino **con** flores
de flores
en la arena
entre piedras
para recoger

1.018. *semejante* **a** su padre
en el andar

1.019. *sensible* **a** los insultos

1.020. *sentarse* **a** la mesa
a trabajar
al sol
de espaldas
en una silla
en la mesa
sobre la mesa

1.021. *sentir* amor **por** una mujer

1.022. *sentirse* **a** gusto
con fuerzas
sin fuerzas

1.023. *señalado* **con** la marca de frágil
de viruelas
entre muchos
para víctima
por las viruelas

1.024. *señalar* a alguien o algo **con** el dedo
un punto **en** el mapa
línea **por** línea

1.025. *señalarse* **con** la guerra
en la guerra
por discreto

1.026. *señorearse* **de** la ciudad

1.027. *separar* **con** una valla dos campos
los buenos **de** los malos
a alguien **de** su empleo

1.028. *separarse* **a** gusto
con gusto
contra su voluntad
de la mujer
para siempre
por cinco meses

1.029. *sepultarse* **en** vida

1.030. *ser* una cosa **a** gusto de todos
al amanecer
de Madrid
de tal partido
de buena familia
fulano *es* **de** fiar
de risa
el fuego *es* **de** verdad
la boda *es* **de** noche
Juan *es* el mayor **de** sus hermanos

entre sus compañeros
el atraco *fue* **hacia** las diez
esto *es* **para** mí
el dinero *es* **para** las ocasiones
la boda *es* **para** Navidad
por Navidad
la fiesta *es* **por** Juan
la boda *será* **sobre** las diez

1.031. *servir* **a** la patria
con armas y caballo
de mayordomo
de beber
en palacio
en infantería
en bandeja
para mayordomo
para hacer algo
por la comida
sin sueldo

1.032. *servirse* **de** alguien o algo

1.033. *severo* **con** los alumnos
de semblante
en sus juicios
para los alumnos

1.034. *simpatizar* **con** alguien o algo

1.035. *situarse* **a** la izquierda
en alguna parte
entre varias cosas
hacia la derecha
sobre el monte

1.036. *soberbio* **con** sus inferiores
de carácter
en sus palabras
para sus inferiores

1.037. *sobrado* **de** recursos

1.038. *sobrepasar* **de** ciertos límites
el gasto **en** un millón

1.039. *sobreponerse* **al** dolor

1.040. *sobresalir* una piedra **del** suelo
de entre todos
en estatura
entre los demás
por su elocuencia

1.041. *sobresaltarse* **con** la noticia
por la noticia

1.042. *sobrevivir* **a** sus hijos

1.043. *sobrio* **de** palabras
en comer

1.044. *socorrer* al pobre **con** limosnas
la ciudad **de** víveres

1.045. *solicitar* un empleo **al** jefe
una entrevista **con** el ministro
una gracia **del** rey
algo **en** provecho propio
para sí
por otro

1.046. *soltarse* **a** andar
con una proposición absurda
de la mano

1.047. *someterse* **al** superior

1.048. *sonar* **a** hueco
a música de Falla
el ruido **en** el salón
hacia la calle
fulano **para** ministro

1.049. *sonreír* **con** sonrisa de felicidad
con hipocresía
para sus adentros

1.050. *sonreírse* **de** la idea
para sí

por dentro

1.051. *soñar* **con** aventuras
con ir a la universidad
en un mundo feliz

1.052. *sordo* **a** las llamadas
del oído derecho
de conveniencia
por conveniencia

1.053. *sorprender* a alguien **con** la noticia
con las manos en la masa
en el lecho
por descuidado

1.054. *sorprenderse* **con** alguien o algo
de alguien o algo

1.055. *sospechar* **de** alguien

1.056. *sostener* el tallo **con** un palo
una tesis **en** la reunión

1.057. *sostenerse* **con** ayuda extranjera
de pie
en el aire
por la fuerza
sobre un pie

1.058. *subir* **a** la montaña
a estudiar
a caballo
la deuda **a** cien millones
algo **del** piso inferior
de sacar vino
de rodillas
desde el primer peldaño
en ascensor
en el coche
hacia la cumbre
hasta el pico más alto
por la escalera
sobre la mesa

1.059. *subirse* **al** caballo
a la parra
el vino **a** la cabeza
a las barbas de otro
de la bodega
de tono
hasta la iglesia
por la escalera
sobre la mesa

1.060. *sublevarse* **contra** el gobierno

1.061. *suceder* **a** Pedro
lo mismo **con** Pedro
a Pedro **en** el trono
tal hecho **en** Pascua
en un país lejano

1.062. *sudar* **con** sudores de muerte
de miedo
de tanto trabajar
en el trabajo
por la cuesta

1.063. *suelto* **de** lengua
en el decir

1.064. *sufrir* **a** Juan sus impertinencias
con paciencia
un disgusto **con** el hijo
de los riñones
de Juan sus impertinencias
un disgusto **del** hijo
por amor de Dios
por una contrariedad

1.065. *sujetar* los caballos **al** carro
a alguien **de** los brazos
por los brazos

1.066. *sujetarse* **a** su padre
a la regla
a trabajar
con un amo

1.067. *sujeto* **a** un árbol
con una cuerda
por los brazos

1.068. *sumarse* **a** la protesta

1.069. *sumergirse* **en** el mar

1.070. *superar* las dificultades **con** esfuerzo
a otro **en** estatura
al compañero **por** la fama

1.071. *superarse* **en** las dificultades

1.072. *superior* **a** sus enemigos
en inteligencia
por su ingenio

1.073. *superponer* una cosa **a** otra
sobre otra

1.074. *suplicar* **al** juez
con buenas razones
por alguien o algo

1.075. *suprimir* algo nocivo **a** la salud
un nombre **de** la lista
versos **en** una comedia
algo nocivo **para** la salud
una fiesta **por** el tiempo

1.076. *suspender* la chaqueta **de** un clavo
a alguien **de** empleo y sueldo
la espada **en** el aire
al alumno **en** el examen
el trabajo **hasta** nueva orden
al náufrago **por** los pelos

1.077. *suspirar* **de** amor
por ir a Madrid
por su novia

1.078. *sustentarse* **con** hierbas
de hierbas
del aire

1.079. *sustituir* Pedro **a** Juan

la mantequilla **a** los cañones
una cosa **con** otra
una cosa **por** otra
a Juan **por** Pedro

1.080. *sustraer* una cantidad menor **de** otra mayor

1.081. *sustraerse* **a** la obediencia
de obedecer
de la obediencia

T

1.082. *tachar* a alguien **de** ligero
de lista
por su mala conducta

1.083. *tapar* al enfermo **con** una manta

1.084. *tardar* **en** hacer algo

1.085. *tardo* **de** oído
en comprender

1.086. *temblar* **de** frío
de miedo
por su vida

1.087. *temer* **por** sus hijos

1.088. *temeroso* **de** Dios

1.089. *temible* **a** los contrarios
por su valor

1.090. *temido* **de** sus enemigos
entre sus enemigos
por su valor

1.091. *temor* **al** agua
al castigo
del agua
de Dios

1.092. *tenderse* **a** descansar
en la cama
sobre la cama

1.093. *tener* **a** mano un libro
afición **al** estudio
a estudiar
cuidado **con** una cosa
al malhechor **contra** la pared
a uno **de** criado
a uno **de** rodillas
a la madre **de** cuidado
lástima **de** alguien
en menos a uno
en cuenta a alguien o algo
razón **en** algo
al criminal **entre** rejas
aptitud **para** el canto
para cantar
a alguien **por** criado
la casa **por** cárcel
a su made **sin** consuelo
derecho **sobre** una finca

1.094. *tenerse* **a** lo dicho
a caballo
a menos hacer algo
de pie
en pie
por inteligente
por los pelos
sobre la punta de los pies

1.095. *tentar* a alguien **a** hacer algo
a Dios
a uno **con** una copa
el suelo **con** el bastón

1.096. *teñir* una tela **con** negro
de negro
en negro

1.097. *terminar* **con** el vino
con la novia
de comer

la corona **en** una perla
en punta
el partido **en** empate
en tres horas
hacia las tres
para volver a empezar
por casarse
sobre las diez

1.098. *tirar* piedras **a** los árboles
a la derecha
a matar
la cabra **al** monte
con pólvora ajena
con todas las fuerzas
piedras **contra** los pájaros
de la falda de su mamá
de diccionario
de la manta
para Madrid
por la calle de en medio
por entre la maleza
sobre el enemigo

1.099. *tirarse* **a** lo más caro
a la plaza
a matar
con bala
contra el enemigo
de la cama
en el suelo
en marcha
entre la hierba
hacia la derecha
para la derecha
por la ventana
sobre el enemigo

1.100. *tocar* **a** dos caramelos cada niño
a muerto
a pagar

al arma
a mil pesetas **por** barba
el suelo **con** la frente
su cabeza **con** un sombrero
la guitarra **con** la mano izquierda
el piano **de** oído

1.101. *tomar* una cosa **a** broma
a peso
con las manos
las armas **contra** el gobierno
una noticia **de** un autor
a uno **del** brazo
consejo **de** uno
una cosa **en** las manos
en serio
un negocio **entre** manos
hacia la derecha
algo **para** sí
una cosa **por** ofensa
a uno **por** médico
el rábano **por** las hojas
sobre sí una responsabilidad

1.102. *tomarse* **a** broma
un objeto **con** la humedad
un café **con** el amigo
de orín un metal
de las manos los novios
la justicia **por** su mano

1.103. *topar* **con** alguien o algo
contra un árbol

1.104. *torcer* **a** la derecha
hacia la derecha
por la primera calle

1.105. *torear* **a** pie
a caballo
con la muleta
de capote

de rodillas
en el centro del redondel

1.106. *trabajar* **a** las órdenes de Juan
con su padre
de sastre
de noche
de sol **a** sol
desde los catorce años
en la administración
en vencer la enfermedad
en equipo
hasta las diez
hasta morir
para comer
por los hijos
por amor al arte
sin horario fijo
sin entusiasmo

1.107. *traducir* **al** francés
al pie de la letra
a libro abierto
del español
del español **al** francés
en castellano tal cosa
en pareados

1.108. *traer* una cosa **a** alguna parte
un recuerdo **a** la memoria
una cosa **con** uno mismo
de Francia
un caballo **de** las riendas
una cosa **de** un sitio **a** otro
un paquete **en** el coche
entre manos un negocio
una cosa **hacia** sí
el caballo **por** las riendas
algo **por** los pelos

1.109. *traficar* **con** armas
en drogas

1.110. *tranquilizar* el espíritu **con** la oración
en la lectura

1.111. *transformar* una cosa **en** otra

1.112. *transportar* una cosa **de** un sitio **a** otro
en camión
al herido **sobre** una camilla

1.113. *trasladar* una cosa **a** un sitio
una obra **del** latín al castellano
en español

1.114. *tratar* a uno **a** puntapiés
a alguien **con** cuidado
de tú
de cobarde
de una cuestión
de hacer algo
en pieles
sobre una cuestión

1.115. *tratarse* **con** el vecino
con intimidad
de usted
de hacer algo
de ladrones

1.116. *triste* **con** el suceso
de aspecto
de ver
por el suceso

1.117. *triunfar* **de** los enemigos
en la batalla
sobre los enemigos

1.118. *tropezar* **con** una silla
con Juan **en** la calle
contra una silla
en la silla

1.119. *tropezarse* **con** un amigo **en** la calle

1.120. *tuerto* **del** ojo derecho

1.121. *tumbarse* **en** la playa

U

1.122. *último* **de** todos
en la clase
en llegar
entre todos

1.123. *único* **en** su línea
entre mil
para un fin

1.124. *unir* una cosa **a** otra
con otra
varias cosas **en** un mismo propósito

1.125. *unirse* **a** los compañeros
con los compañeros
en comunidad
entre sí
para hacer algo

1.126. *uno* **a** uno
con otro
de tantos
entre muchos
para cada cosa
por otro
sobre otro

1.127. *untar* algo **con** aceite
de aceite

1.128. *usar* malos modos **con** alguien
de mañas
algo **para** adorno
por adorno

1.129. *útil* **a** la patria
para todo servicio

1.130. *utilizar* un objeto **con** tal propósito
en alguna operación
para alguna cosa

1.131. *utilizarse* la sal **con** la comida
algo **de** alguna manera
algo **en** alguna cosa

V

1.132. *vaciar* un frasco **de** su contenido
la copa **de** un trago
un busto **en** yeso

1.133. *vaciarse* **del** contenido
en palabras
por la boca

1.134. *vacío* **de** entendimiento

1.135. *valer* cada cosa **a** millón
esa excusa *vale* **con** tu amigo, no conmigo
tu influencia *vale* **de** mucho
esa joya *vale* **entre** diez y once millones
la madera *vale* **para** muebles
un técnico *vale* **por** tres obreros
esa joya *vale* **sobre** tres o cuatro millones

1.136. *valerse* **del** amigo para...
de sus fuerzas para...

1.137. *valorar* el mérito **de** los demás
en los demás
el cuadro **en** tres millones

1.138. *variar* **de** opinión
en tamaño

1.139. *vecino* **al** palacio
del palacio

1.140. *velar* **a** un muerto
por seguridad
sobre los precios

1.141. *vencer* **al** enemigo **a** traición
con traición
en la batalla
por traición

1.142. *vencerse* **a** los ruegos del amigo
a la derecha
hacia la derecha
por los ruegos del amigo

1.143. *vencido* **a** la derecha
al primer asalto
de los enemigos
en la batalla
en el primer asalto
hacia la derecha
por los enemigos

1.144. *vender* el kilo **a** cien pesetas
el alma **al** diablo
al contado
al por mayor
con garantía
el piano **en** cien mil pesetas
el piano **por** cien mil pesetas

1.145. *venderse* **al** enemigo
una cosa **con** otra
la cosecha **en** un millón
en el árbol
por dinero

1.146. *vengarse* **de** una ofensa
del ofensor
en alguna persona
por la ofensa

1.147. *venir* **a** casa
a mí
al suelo
a vernos
a ser el jefe
a por vino
con un amigo
con historias
contra nosotros
de Sevilla

de lejos
de mal humor
de por vino
desde Barcelona
en bicicleta
en decidir una cosa
en son de paz
entre dos guardias
hacia aquí
hasta aquí
para Navidad
para quedarse
por tren
por vino
por hacer tal cosa
las lluvias **sobre** Andalucía

1.148. *venirse* **a** razones
a tierra
a morir
con un amigo
con historias
contra nosotros
de Sevilla
desde Barcelona
hacia aquí
hasta aquí
para Navidad
para quedarse
por ferrocarril
por Juan
por hacer algo
sobre uno mil desgracias

1.149. *ver* el fin **a** una cosa
a lo lejos
con sus propios ojos
el fin **de** una cosa
de hacer algo
de lejos

los toros **desde** la barrera
el odio **en** sus ojos
la paja **en** el ojo ajeno
el pájaro **entre** las ramas
por un agujero

1.150. *veranear* **en** Santander

1.151. *verse* **al** espejo
a escondidas
con Juan
con dinero
con poder
en un espejo
en casa
en un apuro
entre amigos
sin ayuda

1.152. *vestir* **a** la moda
con buena ropa
de negro
de etiqueta

1.153. *vestirse* **a** la moda
con lo ajeno
de negro
de etiqueta
por los pies

1.154. *viajar* **a** caballo
a Madrid
con su hermano
con billete gratuito
de día
de incógnito
de Madrid **a** Barcelona
desde su tierna infancia
en tren
en primavera
hacia el norte
hasta Madrid

para ver mundo
por ferrocarril
por necesidad

1.155. *visible* **a** todos
entre todos
para todos

1.156. *vivir* **a** su gusto
a lo grande
al día
con Juan
con un solo riñón
con los tiempos
con sus manos
de limosna
de sus manos
de trabajar
en Madrid
en un palacio
en paz
en tiempos de Cristo
entre salvajes
hacia el año dos mil
hasta los cien años
para ver
para sus hijos
por sus manos
por sus hijos
según sus recursos
sin lujos
sobre el país

1.157. *volar* **a** mil metros de altura
al combate
con sus propias alas
la muralla **con** dinamita
de la jaula
de rama **en** rama
en avión

por los aires
sobre África

1.158. *volcarse* **a** la derecha
a la bajada del puerto
con las amistades
en la ayuda
por los amigos
sobre el terreno contrario

1.159. *volver* **a** casa
los ojos **a** Dios
a empezar
a la derecha
a nacer
con la misma petición
de la aldea
de vacío
de la muerte **a** la vida
en sí
el agua **en** vino
hacia la derecha
para el pueblo
por el camino
por la verdad
sobre sus pasos

1.160. *volverse* **a** casa
con Juan
contra alguien o algo
de la aldea
hacia el amigo
para el pueblo
por el atajo

1.161. *votar* **a** tal candidato o partido
con la mayoría
contra el gobierno
en las elecciones
para diputado a alguien
por fulano
sin engaño

Y

1.162. *yacer* **en** la tumba
entre sus antepasados
por tierra
sobre el campo de batalla

1.163. *yo* **en** su lugar

Z

1.164. *zambullirse* **en** el agua

1.165. *zarpar* **del** puerto
de Cádiz
hacia Barcelona
para América

1.166. *zozobrar* **con** un escollo
contra un escollo
en un escollo
en la tormenta
en alta mar
por el peso

1.167. *zurcir* **con** hilo verde

IV

ACTIVIDADES PROPUESTAS

EJERCICIOS

Como norma general los ejercicios deben ser hechos siempre bajo la inmediata y constante dirección y consejos del profesor, quien propondrá a los alumnos prácticas de adiestramiento de diversos tipos, alternándolos. Los conocimientos adquiridos servirán de base y marcarán la pauta y graduación para el aprendizaje de otros nuevos. Tales consejos pueden ser aplicados en todos los niveles.

Tipo A

I. **Explotación del repertorio de construcciones sintácticas.**

1. Explotación de un núcleo regente.

1.1. Método o modo de proceder.
Como punto de partida, el profesor deberá tomar un núcleo regente de significación muy amplia y general, y de uso frecuente y habitual, como *ser, estar, poner, tener, hablar, subir, ir, venir,* etc., y pedirá a los alumnos que formen las frases posibles, siguiendo preferentemente el orden tradicional de enunciación de las preposiciones.

1.2. Exposición en clase de las frases realizadas por los alumnos, y comparación con la lista de modelos del repertorio.

1.3. Se fijarán las construcciones correctas y el alcance exacto de los diversos valores de las preposiciones y el significado preciso y concreto de las frases. Se llamará la atención de los alumnos sobre hechos lingüísticos del español que pueden ser particularidades con respecto a alguna de las lenguas de los alumnos; por ejemplo, si tomamos como modelo el verbo *ir,* en español la construcción es la misma tanto si el lugar adonde es un lugar mayor o menor, y así se construye la frase de la misma manera si se dice *«voy* **a** *Francia», «voy* **a** *París»* o *«voy* **a** mi casa».

1.4. Partiendo de una construcción general expresiva del movimiento adonde, el profesor pasará revista a otras construcciones de sentido particular y concomitante, en las que puede intervenir la misma partícula **a** u otras, como pueden ser **hacia, hasta, para.** Así, ya en el ejemplo *«ir* **a** *la escuela»* puede ser tomada la voz *escuela* en su sentido material, es decir, como edificio que es y ocupa un lugar, aunque el sentido que realmente tiene, por metonimia, es el de asistir a las clases que se dan en la escuela *para* aprender. Y asimismo *«ir* **al** *médico», «ir* **a** *misa»* es *«ir* **a** *que le vea el médico quien se siente aquejado de algún mal»,* o *«ir* **a** *tomar parte en el sacrificio divino».* El sentido de finalidad está claro: *«ir* **a** *la compra»* es *«ir* **a** *comprar»; «***va a** *llover»* manifiesta la predisposición de los agentes atmosféricos, la tendencia o «intencionalidad» de llover. El paso de *ir,* de sentido real de traslación o movimiento al de sentido más o menos figurado, metafórico, y de empleo auxiliar, parece claro.

1.5. La construcción *«***a** *caballo»* es una expresión modal que se opone, por su sentido, por ejemplo, a *«ir* **a** *pie»,* «andando». Así como en la construcción de régimen el núcleo regente y la partícula forman una especie de unidad o sintagma fijo, y el término regido un elemento variable, en estas expresiones modales la preposición y el término que sigue constituyen esa unidad fija, y el término variable es el núcleo o término regente. Así, *«a caballo»* es lo fijo frente a «ir», «montar», «venir», etcétera, que es lo variable: ir a *caballo,* montar a *caballo,* venir *a caballo.*

1.6. El profesor puede aprovechar otras circunstancias que le brinden los ejemplos para ampliar los conocimientos de sus alumnos, según las posibilidades de explotación del repertorio y el nivel de los mismos. Será, pues, el profesor quien decidirá sobre la conveniencia y oportunidad de señalar la posición ausencia/presencia del artículo: *ir* **al** *médico* / *ir* **al** *trabajo* / *ir* **a** *comprar pan* / *ir* **a** *comprar* **el** *pan,* etc. O la oposición artículo indeterminado/artículo determinado: *busco* **un** *criado* / *busco* **al** *criado.*

1.7. Procediendo siempre de lo muy general a lo menos general o particular, el profesor hará ver, por ejemplo, que mediante el uso de la preposición **a** indicamos —como ya sabemos— el lugar **adonde** como construcción general, y con el empleo de la preposición **de** señalamos, también de modo general, el punto de partida o lugar **de donde:** *mañana voy* **de** *Roma* **a** *París.* Pero tal acción puede ser expresada con un mayor grado de precisión o imprecisión, y esos lugares, Roma y París, en vez de ser lugares concretos en los que comienza o acaba la acción de ir pueden ser tomados como referencias de inicio o fin de la acción subrayando la precisión o imprecisión de dicha acción gracias al empleo de otras partículas, como explicará el profesor. Por ejemplo:

mañana voy **de** *Roma* **hacia** *París.*
.... **para** ....
.... **hasta** ....
.... **desde** ... **hasta** ....

La frase *«ir* **sobre** *Roma»* ya tiene otras connotaciones, como puede ser el empleo en narraciones bélicas; empleo, por lo tanto, más limitado.

1.8. Asimismo, el profesor, a medida que el nivel de conocimientos de los alumnos lo recomiende, podrá ir ampliando sus explicaciones con otras relaciones, como *«ir* **de** *Ceca* **a** *la Meca»* / *«ir* **de** *acá* **para** *allá»* / *«ir* **de** *mal* **en** *peor»,* etc., que le permitirá entrar en la explicación de las frases hechas, modismos, locuciones, refranes, etc., pero siempre con mucha prudencia y paulatinamente, a fin de graduar convenientemente los conocimientos, pues un exceso de contenido podría producir en el alumno efectos contraproducentes: sensación de hartazgo, impotencia y caos.

1.9. Siguiendo el núcleo regente que hemos tomado como base parsa estos consejos, y el orden tradicional de enumeración de las preposiciones, vemos que el sintagma propositivo **a por,** proscrito por la Academia durante mucho tiempo, se ha abierto camino en el uso cotidiano e incluso literario frente al recomendado por la docta institución **por** anfibológico; **a por** es claro y preciso, y hoy se prefiere decir *«voy* **a por** *el periódico»* en vez de *«voy* **por** *el periódico».* Si alguien dice *«voy* **a por** *la escalera»* no hay duda de que *«va en busca de una escalera»,* y si dice *«voy* **por** *la escalera»* es que *«va a un sitio sirviéndose de la escalera y no de una ventana o puerta, por ejemplo, para subir a un sitio o bajar de él».*

Por otra parte, considerando no ya el criterio de corrección o de norma de la lengua, sino de ésta como sistema, sería incongruente admitir como correcto *«vengo* **de por** *el periódico»* y rechazar por incorrecto *«voy* **a por** *el periódico».*

1.10. De la misma manera, el profesor podrá y deberá establecer cuantas relaciones y comparaciones pueda entre diversas construcciones, como, por ejemplo, *«ir* **por** *la compra»* o *«ir* **de** *compras»,* a fin de ampliar el ámbito semántico de los alumnos y proporcionarles, sin apenas esfuerzo, los recursos de la lengua.

1.11. Así como hemos procedido preferentemente con la preposición **a,** así se irá operando con las demás preposiciones, viendo sus posibilidades de empleo y de sustitución, más adelante, por locuciones prepositivas.

1.12. El profesor deberá tener muy en cuenta el frecuente uso que el español hace de las formas pronominales, que, a veces, está más generalizado, por razones de expresividad, que el de las formas simples, por lo que se prefiere *morirse* a *morir, irse* a *ir,* etc.

2. Ejercicios con núcleos regentes sinónimos y antónimos.

2.1. Dado un núcleo regente, procede explotar otros núcleos regentes sinónimos y antónimos del primero realizando ejercicios y subrayando los matices de significado y peculiaridades de construcción. Si antes nos ejercitamos con el verbo *ir,* ahora operaremos con *venir,* y subsidiariamente con otros núcleos que matizan esos sentidos generales de movimiento, como *marchar(se), salir(se), entrar(se), alejar(se), caminar, viajar, subir, bajar, llegar(se), acudir, dirigir(se), pasar, visitar, asistir, andar, acercar(se), alcanzar,* etc., u otros núcleos que no sean forzosamente verbos, como adjetivos: *dulce-amargo, rico-pobre, agradable-desagradable, vivo-muerto;* o ciertas particularidades, como *«decir algo* **de** *palabra»* y *«decir eso mismo* **por** *escrito»; «viajar* **a** *pie,* **a** *caballo,* **en** *burro»,* etc.

Tipo B

II. **Se proponen núcleos regentes y varias preposiciones y se pide que el alumno construya algunas frases.**

Modelo 1

1.1. Núcleos regentes: *ser, estar, ver, llegar, acercarse, venir.*

1.2. Preposiciones propuestas: **a** y **en.**

1.3. Ejemplos de frases que pueden construirse:

Hoy estamos **a** *cinco.*
El partido es **a** *las diez.*
Te veré **en** *el jardín.*
Ayer vi **a** *Juan.*
Llegaron **en** *avión.*
Acércate **a** *la puerta.*
El kilo está **a** *cien pesetas.*
Estamos **en** *la primera lección.*
Ven **a** *casa* **a** *ver la televisión.*
Mi padre llegó **a** *las cinco.*
Juan está **a** *régimen.*

Modelo 2

2.1. Núcleos regentes: *pasar(se), pasear, querer, subir, anunciar, quedar(se).*

2.2. Preposiciones propuestas: **por, para, con.**

2.3. Ejemplos de frases que pueden construirse:

Mañana pasaré **por** *tu casa.*
Juan quiere a María **por/para** *esposa*
Juan quiere a María **para** *ama de llaves.*
Los bomberos subieron **por** *la escalera.*
Anunciaron la noticia **por** *la prensa.*
Juan pasea **con** *su novia.*

Juan pasea **por** *orden del médico.*
Queda mucho **por** *hacer.*
Quieren la boda **para** *diciembre.*
María se quedó **para** *vestir santos.*
Se pasaba el día **con** *un panecillo.*

Modelo 3

3.1. Núcleos regentes: *pobre, loco, amar, agradable, traer.*

3.2. Preposiciones propuestas: **de, desde, hasta.**

3.3. Ejemplos de frases que pueden construirse:

La amo **desde** *mi niñez.*
Es pobre **de** *solemnidad.*
Agradable **de** *ver.*
Trajeron el agua **de** *la misma fuente.*
Loco **de** *atar.*
Se amaron **hasta** *la muerte.*
Se amaron **de** *niños.*
Trajeron el agua **hasta** *la ciudad.*
Trajeron el agua **desde** *el manantial* **hasta** *la ciudad.*
Agradable **al** *tacto.*

Modelo 4

4.1. Núcleos regentes: *correr, chocar, mirar, trabajar, colocar(se), poner(se), golpear(se).*

4.2. Preposiciones propuestas: **contra, durante, hacia, entre, según.**

4.3. Ejemplos de frases que pueden construirse:

El avión chocó **contra** *una casa.*
Mira **hacia** *la montaña.*
Trabajó **durante** *treinta años.*
Colocarse **entre** *los primeros.*
Pon el libro **sobre** *la mesa.*
Correr **sin** *descanso.*
Trabaja **según** *sus ganas.*

El niño se golpeó **contra** *el suelo.*
Trabajar **sin** *herramientas adecuadas.*
Mira **entre** *los libros.*

Tipo C

III. **Se propone un texto más o menos extenso, o una serie de frases con los espacios correspondientes a las preposiciones en blanco y se pide que se completen poniendo la preposición o preposiciones omitidas.**

Modelo

Echar la carta .... buzón (**al, en, el**).
Estudiar .... médico (**para**).
Sentarse .... la mesa (**a**).
Sentarse .... la silla (**en**).
Lo que dice es difícil .... creer (**de**).
El niño bebía .... sorbos (**a**).
La señora andaba .... puntillas (**de**).
Los pájaros se agrupaban .... bandadas (**en**).
Pequeño .... cuerpo (**de**).
Se escondieron .... los árboles (**entre**).

Tipo D

IV. **Se proponen frases con dos preposiciones. Puede darse el caso en que el empleo de las dos sea posible y correcto, o el caso en que sólo se pueda emplear correctamente una preposición y, en consecuencia, se *tachará* la preposición usada incorrectamente o el espacio en blanco, si corresponde a ausencia de preposición. Nunca se propondrán casos en que ambas preposiciones sean incorrectas.**

Modelo 1

1.1. Las dos preposiciones son correctas, aunque puede haber alguna diferencia de sentido.

1.2. Ejemplos:

Coloca el libro **en/sobre** *la mesa.*
Juan bebía agua **del/en** *el río.*
Juan se echó **a/de** *la cama.*
El motorista se golpeó **con/contra** *el árbol.*
Juan ha venido **de/desde** *Barcelona.*
Me voy **hacia/para** *Sevilla.*
Me iré **de** *mañana/***por** *la mañana.*
Jugaremos **con/a** *la pelota.*
Juan se arrojó **al/en** *el río.*
El ejército marchó **a/contra** *Roma.*
Lo mataron **a/con** *palos.*
El anciano paseaba **en/por** *el jardín.*
La casa está **a** *la/***en** *venta.*
Juan se apasiona **con/en** *las discusiones.*
Amable **a/con** *todos.*
Agradable **con/para** *sus padres.*
Avanzó **hacia/hasta** *las filas enemigas.*
Echó **hacia/por** *el monte.*
Hablaba **de/por** *su hermano.*
Humilde **con/para** *los humildes.*

Modelo 2

2.1. Sólo una preposición es correcta, o sólo una construcción (alternativa de preposición/ausencia de preposiciones) es correcta.

2.2. Ejemplos:

Yo vivo ~~a~~/**en** *Madrid.*
Hoy me he levantado ~~en~~/**a** *las cinco.*
Estoy levantado ~~de~~/**desde** *las cinco.*
El médico se acercó ~~del~~/**al** *enfermo.*
Ayer vi **a**/~~•~~ *tu hermano.*

La conferencia será **a/~~en~~** *las siete.*
La conferencia se celebrará **~~a~~/en** *la biblioteca.*
Volveré **~~en~~/dentro** *de cinco minutos.*
Comió **en/~~dentro de~~** *cinco minutos*.*
Mañana me voy **a/~~en~~** *Sevilla.*
Sacó **de/~~desde~~** *la cartera un billete* **de/~~por~~** *mil pesetas.*
Miraba **~~ø~~/a** *todos los que le rodeaban.*
El lunes salgo **~~por~~/para** *Sevilla.*
Yo resido **~~a~~/en** *la misma ciudad que tú.*
Visité el museo del Prado **durante/~~por~~** *mi primera estancia* **en/~~a~~** *España.*
Estoy decidido **a/~~por~~** *comprar ese coche.*
Comprendo que estés cansado **de/~~para~~** *trabajar.*
Cuando se colocó fue completamente feliz **~~por~~/durante** *dos meses.*
Ante esta situación estoy **por/~~para~~** *irme.*
Se sacrificó **por/~~para~~** *todos y ninguno se lo agradecía.*
Os dio los regalos a Antonia y **a/~~para~~** *ti.*
Juan no ha venido **a/~~para~~** *clase; debe* **de/~~ø~~** *estar enfermo.*
Es una situación muy grave y debemos proceder **con/~~de~~** *calma.*
Dudo **de/~~ø~~** *que eso sea posible.*
Yo también he colaborado **~~a~~/en** *esa empresa.*
El viaje me dio ocasión **~~a~~/de** *conocerlo.*
Compré un coche y me invitó **a/~~para~~** *pasear con él.*
Compró un coche y me hizo una invitación **~~a~~/para** *pasear en él.*
Vi un hermoso paisaje camino **de/~~a~~** *Sevilla.*
Estaba muy cerca **de/~~a~~** *los mil metros.*
Ayer fui **~~a~~/de** *compras.*
Los terroristas atentaron **~~al~~/contra** *el ministerio.*
Juan está **al/~~para~~** *llegar.*
Pedro juega **al/~~a~~** *tenis.*

* *Comeré* **en** *cinco minutos / Comeré* **dentro** *de cinco minutos.* Ambas correctas. En el primer caso se señala el tiempo en que se realiza la acción de comer, y en el segundo el momento en que se iniciará la acción de comer, sin que se manifieste la duración de la acción.

Juan influye ~~**a**~~/**en** *Pedro.*

Este vehículo es apto ~~**a**~~/**para** *todo terreno.*

Vámonos ~~**en**~~/**a** *casa, que es tarde.*

Lo mató ~~**con**~~/**en** *un desafío.*

El descuento es de un tres ~~**al**~~/**por** *ciento.*

Pregunté al jefe **por**/~~**de**~~ *la hija.*

Me quedo **con**/~~**a**~~ *tu libro.*

Cercano **a**/~~**de**~~ *su muerte.*

Compré la mesa **por**/~~**para**~~ *cien mil pesetas.*

Me preguntó **por**/~~**para**~~ *Juan.*

Fue el primero **en**/~~**de**~~ *servirse.*

Se enfadó **con**/~~**contra**~~ *el amigo.*

V

REPERTORIO DE EJERCICIOS*

* Se adjuntan estos ejercicios para que el profesor pueda echar mano de ellos en cualquier momento, se los proponga a los alumnos y sirvan de modelo analógico. Hay cuatro grupos: uno cuyo término regente es un verbo, otro en que el término regente es una forma nominal (sustantivo o adjetivo, principalmente) y otros dos en que se propone un texto en el que se han quitado las preposiciones y el alumno debe poner la partícula que corresponda.

Grupo 1

1. ANDAR(SE)

1. Ándate .... cuidado .... esa persona.
2. No andes descalzo .... el jardín.
3. Juan siempre anda .... bromas.
4. Tratar a algunas personas es como andar .... ascuas.
5. El que no sabe es como si anduviera .... ciegas.
6. Le gusta andar todo el día .... la Ceca .... la Meca.
7. Estáte quieto y no andes .... mis cosas.
8. Iba de un lado a otro silenciosamente, como si anduviera .... puntillas.
9. Vaya directo al asunto, no se ande .... las ramas.
10. Anda .... Dios, hermano.

2. BAJAR(SE)

1. Los niños han bajado .... la calle para jugar.
2. En caso de incendio no bajen .... el ascensor.
3. Hay que bajar .... la escalera.

4. No se debe bajar .... tren en marcha.
5. Bajaban .... dos .... dos.
6. Bajen .... miedo.
7. Bajaron .... la terraza .... el quinto piso.
8. Bajaron .... ayuda de una escalera.
9. Baja .... las nubes, gritaron al político.
10. Los alimentos han bajado .... calidad y .... precio.

3. DAR(SE)

1. Desde joven Juan se daba .... la bebida.
2. Mañana se darán .... conocer los resultados.
3. El muchacho dio .... la carga .... el suelo.
4. Salió el coche de la carretera y dieron .... un árbol.
5. Cogieron al ladrón y le dieron .... palos.
6. Di .... Juan donde menos lo esperaba.
7. Es un gran tirador y siempre da .... el blanco.
8. De viejo dio .... la manía de coger papeles en la calle.
9. Siempre que da limosna la da .... Dios.
10. Daré una vuelta .... el jardín y volveré pronto.
11. Al salir del bar se dio .... narices .... su padre.
12. Es muy terco y nunca se da .... vencido.
13. Para limpiar el traje dale .... un quitamanchas.
14. El bien nacido da las gracias .... bienhechor.
15. Con estas palabras me doy .... enterado.

4. DESCENDER

1. El torrente desciende .... la cima .... valle.
2. Tiene tanto orgullo que parece que descienda .... la polaina del Cid.

3. Descienden .... la escalera de incendios.
4. Descendieron .... tromba.
5. Descendía el torrente .... el valle.

5. DESCOLGAR(SE)

1. Se descolgaron .... ayuda de una cuerda.
2. Se descolgaron .... la ventana .... la calle.
3. Descolgaron el armario .... balcón .... una cuerda.
4. Los bomberos se descolgaron .... la terraza .... tercer piso.
5. El ciclista quedó descolgado .... pelotón.

6. ESTAR(SE)

1. Hoy estamos .... Madrid y mañana estaremos .... Londres.
2. Ahora estamos .... nueve mil metros de altura.
3. Estar .... los amigos es divertido.
4. Estar .... pie en el fútbol es muy cansado.
5. Aquí, en el invierno, estamos .... muchos grados bajo cero.
6. Mi novia está .... cama .... fiebre.
7. En la guerra casi siempre se está .... disgusto.
8. Se dice que en este mundo estamos .... paso.
9. La camisa está .... el cajón y la corbata .... la mesa.
10. Cuando estoy .... amigos me divierto mucho.
11. Es muy triste estar .... dinero en vacaciones.
12. Estamos .... llegar de un momento a otro.
13. Estuve .... decirle la verdad, pero no me atreví.
14. Ese político está .... el progreso.
15. Cuando está .... broma es muy divertido.

7. HABLAR(SE)

1. El presidente habló .... una hora, ... la tribuna.
2. Pero habló .... hablar, pues nadie le hacía caso.
3. Para unos hablaba .... chino, para otros .... broma.
4. Cuando habla .... economía, habla .... dientes.
5. Rara vez habla .... ton ni son.
6. Una persona le gritó: ¡habla .... cristiano!
7. Habló .... sí, no en nombre del partido.
8. En definitiva, cada uno habla .... sabe.
9. Hablar .... la gente siempre es difícil.
10. Hablar .... los amigos es fácil.
11. Los que hablan .... política casi siempre hablan .... dientes para afuera.
12. Hay personas a las que no les gusta hablar .... teléfono.
13. Otras hablan .... los codos.
14. Otros hablan .... quedar afónicos.
15. Hay quienes hablan .... esto y aquello.
16. Antes de casarse, Juan habló .... su novia tres años.
17. Como no sabían sus lenguas respectivas, se hablaban .... señas.
18. En los bares se habla .... todo.
19. Se hablaron .... secretos.
20. Los novios se hablaban .... el balcón.

8. IR(SE)

1. Todas las mañanas voy .... trabajo.
2. Pero voy .... alegría.
3. Unas veces voy .... mi padre y otras veces .... mis hermanos.

4. Unos días vamos .... coche y otras .... pie.
5. A veces nos vamos .... madrugada, ... los primeros rayos del sol.
6. Si cogemos el autobús, vamos .... la esquina de casa .... la misma fábrica.
7. Siempre vamos .... el mismo camino.
8. Cuando voy .... la fábrica no voy .... cara muy alegre.
9. Voy .... la mañana y vuelvo por la tarde, cuando ya es de noche.
10. No es lo mismo ir .... trabajar que irse .... juerga.
11. Algunos van .... lana y vuelven trasquilados.
12. Hay quien en la vida va .... mal .... peor.
13. Ir .... compras no es lo mismo que ir .... la compra.
14. Tampoco es lo mismo ir .... coche que ir .... el coche de San Fernando.
15. Y tampoco es lo mismo ir .... un sitio concreto que ir .... acá .... allá.

9. MARCHAR(SE)

1. Ya es tarde, márchate .... casa.
2. No vayas solo, márchate .... Juan.
3. Si os marcháis .... vacaciones, cerrad bien la casa.
4. Se han marchado .... equipaje y .... pagar el hotel.
6. No sabemos si se marchó .... el tren o .... carretera.
7. Se marcharon .... las cinco de la mañana.
8. Se marcharon .... la fiesta.
9. Se marcharon .... los deseos de todos.
10. Se marchó .... no volver.

10. MORIR(SE)

1. El mendigo se murió .... frío y .... hambre.
2. Se murió .... el circo .... un ataque de risa.
3. Los policías murieron .... el cumplimiento de su deber.
4. Morir .... la patria es hermoso.
5. Cuando alguien muere en combate, se dice que murió .... las botas puestas.
6. Tiene tanta afición que se muere .... jugar al fútbol.
7. Murió .... manos de los atracadores.
8. Murió .... confesar el delito.
9. Murió .... dos ladrones.
10. Murió .... la peste negra.

11. PASAR(SE)

1. Pasad al salón .... dos .... dos.
2. A veces es mejor pasar .... alto las murmuraciones.
3. Hoy he dormido muy bien: pasé la noche .... un tirón.
4. La felicidad pasa .... un abrir y cerrar de ojos.
5. Con la boda de la hija ha echado la casa por la ventana: el gasto del banquete ha pasado .... un millón.
6. Pasemos .... otro punto del orden del día.
7. Los que pasan .... listos, al final siempre pierden.
8. Por la noche se pasaron .... enemigo.
9. Tengo que comprarme un abrigo, porque el que tengo está pasado .... moda.
10. Pasa .... mi oficina .... charlar un rato.

12. PONER(SE)

1. Póngase .... mi lado, ... mi derecha.
2. A las ocho me pongo .... trabajar.
3. Pongo cada cosa .... su sitio.
4. Pongo el papel blanco .... la máquina y el diccionario .... la mesa.
5. Si alguien me molesta, lo pongo ...... patitas en la calle.
6. Incluso quisiera poner a alguno .... rejas.
7. Hay que ponerse en guardia ...... los pelmazos.
8. Juan era pobre, pero puso .... marcha ese negocio y se hizo rico.
9. Ponga .... limpio ese borrador, ... tachaduras.
10. Póngase .... la derecha.
11. Ponga esos papeles .... el suelo.
12. Ponte .... rodillas .... la pared.
13. Se puso enfermo .... tanto comer.
14. Póngame .... sus estaturas.
15. Poned dos nombres de persona desde la a .... la m, y nosotros desde la m .... la z.

13. SALIR(SE), ENTRAR(SE)

1. Si se entra .... un sitio luego hay que salir .... él.
2. Entrar .... razón es muy distinto de salir .... peteneras.
3. Como entran tres naranjas .... un kilo, cada naranja sale .... cinco pesetas.
4. Los obreros entran .... la fábrica .... las ocho y salen .... las tres.
5. Entraron al ruedo ...... fama y salieron ...... la puerta grande.

6. Entró .... el amigo .... el negocio y salió .... las manos en la cabeza.
7. Salir .... Málaga para entrar .... Malagón.
8. Juan ha entrado .... fraile y se ha salido .... la suya.
9. Entre .... el fondo y salga .... el jardín.
10. El conejo salió .... las peñas y entró .... su madriguera.

14. SER

1. Con mi novia seremos trece .... la mesa.
2. Mi novia es .... Madrid.
3. También es rica y .... muy buena familia.
4. Para mí es la más guapa .... todas las mujeres.
5. Es la más pequeña .... todos los hermanos.
6. La boda será .... invierno.
7. Probablemente .... enero.
8. O quizás .... Navidad.
9. Tal vez la ceremonia de la boda sea .... la tarde.
10. O quizás .... noche; .... las ocho.
11. Seremos unas quinientas personas .... familiares y amigos, ... contar los niños.
12. La fiesta será .... todo lo alto, ... tradición familiar.
13. Mi padre dice que el dinero es .... las ocasiones.
14. Los regalos serán .... todo tipo.
15. Sin duda seremos felices ...... el viaje de novios, ... el principio ...... el final.

15. SUBIR(SE)

1. Tú sube ...... la escalera, yo subiré ...... el ascensor.

2. Los alpinistas subieron .... monte más alto.
3. Súbete .... la mesa.
4. Hay que subir .... la terraza.
5. Subían las escaleras .... rodillas.
6. El vino se le había subido .... la cabeza.
7. Los excursionistas subían .... la cima.
8. .... las cuestas arriba quiero mi burro, que las cuestas abajo yo me las subo (construcción directa).
9. Sube .... la bodega un litro de vino.
10. La deuda exterior de ese país sube .... diez millones.
11. Si le dejas se te subirá .... las barbas.
12. Poco a poco la discusión fue subiendo .... tono.
13. Cada uno sube .... sus medios.
14. El camino subía .... árboles frutales.
15. Subiremos .... el pueblo .... la ermita por el atajo.

16. TENER(SE)

1. Tengo lástima .... los enfermos.
2. Tenía el corazón .... hielo.
3. El niño ya se tiene .... pie.
4. Juan se tiene .... un caballero, pero es un sinvergüenza.
5. El equilibrista se tenía .... una mano.
6. La equilibrista se tenía .... el pelo.
7. Tente .... la pared.
8. El detenido se tenía .... lo declarado.
9. Yo tengo derecho .... permanecer callado.
10. Juan tiene razón .... casi todo.
11. Es una mujer que tiene la casa .... una cárcel.
12. No tiene afición .... la música.

13. Pero tiene aptitud .... la pintura.
14. Tenía mucho miedo .... la oscuridad .... niño.
15. Tuvo .... la niñez mucha felicidad.

17. VENIR(SE)

1. Si vienes .... casa, te invitaré a comer.
2. Cuando quieras ven .... vernos.
3. Trabaja y no me vengas .... historias.
4. Tienes que venir, ya vengas .... pie, ... coche o .... tren.
5. Vinieron .... él todas las desgracias.
6. No discutas y vente .... razones.
7. Vendremos .... las fiestas.
8. Ven .... aquí cuando quieras.
9. Pero ven .... quedarte unos días.
10. Si vienes .... Barcelona, ven .... avión.
11. Ven .... el uno y el quince de abril.
12. El fiscal vino .... solicitar la pena mayor.
13. Vengo .... darte una satisfacción.
14. Vengo .... Juan, pues el hombre está enfermo.
15. Se vino .... mí como un miura.

18. VIAJAR

1. Viajar .... gusto es un placer, viajar .... necesidad es penoso.
2. Viajar .... avión es más rápido que viajar .... caballo, pero quizás es menos divertido.
3. Me gusta viajar .... primavera o .... el otoño.
4. Prefiero viajar .... los amigos que solo.
5. Mañana viajaré ...... Madrid ...... Londres ...... Iberia.

6. Yo siempre viajo .... gastos pagados.
7. Le encanta viajar .... ver mundo.
8. Prefiero viajar .... día para ver el paisaje.
9. Los grandes personajes tienen dificultad para viajar .... incógnito.
10. En definitiva, todos viajamos .... la eternidad.

19. VIVIR

1. El que vive .... sus manos rara vez vive .... lo grande.
2. Vivir .... gente sin educación es como vivir .... salvajes.
3. Siempre vivió .... su trabajo.
4. Vivió .... el reinado de Felipe II.
5. Hay que saber vivir .... los tiempos.
6. Los conquistadores vivieron .... el país, aunque .... lujos.
7. Vivir .... día pero .... deudas es una felicidad.
8. Vivió .... mil quinientos.
9. Vivir .... ver, exclamó el filósofo.
10. Siempre vivió .... los suyos.
11. Vivió diez años .... toda esperanza.
12. Hay que saber vivir .... la sociedad.
13. Vivió .... su tierna infancia .... un palacio.
14. No es lo mismo vivir .... trabajar que vivir .... gorra.
15. Es una felicidad vivir .... las personas amadas.

20.

1. El actor estuvo agradecido .... todos .... su visita.

2. Los médicos siempre han estado .... acuerdo .... cortar el mal de raíz.
3. El taxi adelantó .... camión .... la recta.
4. Las gentes arrojaban flores .... el balcón.
5. Los hechos ocurridos le hicieron recogerse .... casa .... meditar.
6. Aquel ejecutivo fue el preferido .... el cargo como premio .... sus servicios.
7. La llanura se extendía .... el horizonte junto .... Sol.
8. Los dos licenciados .... Derecho discutían con animación.
9. El gasto pasó .... lo previsto.
10. El empleado puso el cartel .... la puerta y se colocaron todos .... orden.
11. Helado .... frío se echó .... la cama.
12. Se había pasado .... enemigo .... poca fortuna.
13. Acordaron .... todos no hacer nada.
14. Aunque te vistas .... la moda, siempre hay que vestirse .... los pies.
15. Se besaron .... escondidas .... pasión.

21.

1. Cuando hablaba .... el Gobierno siempre lo hacía .... usted.
2. Desconfiaban .... él porque era desconocido .... su gente.
3. El corredor se adelantó .... la curva.
4. El reo aguantó .... valor .... la muerte.
5. Extendía la pintura .... la brocha parado .... la pared.
6. Las tropas habían retrocedido .... el río.
7. Al salvarle .... peligro le salvó la vida.

8. El mueble estaba vencido .... la derecha .... el traslado.
9. Próximo .... morir publicó la noticia .... los cuatro vientos.
10. Los griegos mezclaban el agua .... vino endulzando .... miel.
11. Armado .... los dientes se arrojó .... el enemigo.
12. Me acuerdo .... mi madre.
13. Toda la población se aguantó .... la desgracia.
14. Se pilló las manos .... la puerta aunque le pillara .... buen humor.
15. Todo el mundo le reía las gracias .... Santiago, pero él se reía .... dientes mientras tanto.

Grupo 2

SERIE A

Complementos de adjetivo

1. Juan es aficionado .... los toros.
2. Se dice que quien es afortunado .... el juego es desgraciado .... amores.
3. Ese malabarista es muy ágil .... manos, en cambio ese otro es muy torpe .... sus movimientos.
4. *a)* El camarero es agradable .... el público.
   b) Esta tela es agradable .... tacto.
   c) Este licor es desagradable .... paladar.
   d) Ese oficinista es desagradable .... el público.
   e) Es un espectáculo desagradable .... la vista.
   f) Juan es persona desagradable .... su trato.
   g) Fue un espectáculo desagradable .... presenciar.
5. Todo lo que el esposo es agrio .... manera de ser, la esposa es dulce .... su trato.
6. Juan es a la vez agudo .... oído, ... ingenio y .... las respuestas.

7. Es doloroso comunicar una noticia triste a una persona alegre .... carácter.
8. Es hombre bajo .... cuerpo, pero alto .... ideas.
9. El que es amable .... condición suele ser amable .... los amigos, ... sus iguales, ... sus subordinados e incluso .... la gente en general.
10. Amargo .... paladar o .... sabor y dulce .... paladar o sabor son cosas contrarias.
11. Se puede ser a la vez ambicioso .... gloria y desinteresado .... el dinero.
12. Alguien puede ser antipático .... una persona, ... un subordinado y ser simpático .... muchos, ... muchos y .... muchos subordinados.
13. Juan es muy apasionado .... las ideas y, por consiguiente, ... las discusiones; por el contrario, es muy despegado .... su mujer y .... sus hijos.
14. Se puede ser apto .... un puesto en general e inepto .... algo concreto.
15. Así como hay cosas ásperas .... tacto, también hay hombres ásperos .... trato o .... el trato .... las mujeres. Y así como existen tejidos suaves .... tocarlos o .... tacto, hay también hombres suaves .... sus maneras y .... llevar.
16. Evidentemente hay cosas asquerosas .... la vista, espectáculos asquerosos .... presenciar y personas doblemente asquerosas .... sus expresiones y .... sus gestos.
17. Al que habla le gusta que los demás estén atentos .... lo que dice, ... sus palabras. Particularmente se debe ser atento .... las personas mayores, especialmente .... los ancianos.
18. *a)* María ha tenido un niño muy blanco .... tez.
    b) El mástil es blanco .... la punta.
    c) Es un pájaro gris .... las alas blancas .... los extremos.
19. *a)* El algodón es blando .... tacto.

b) Es un padre muy blando .... su hijo pequeño, pero duro .... el mayor.

c) Se puede ser duro .... carácter, pero blando y suave .... expresión.

d) Es preferible ser duro .... mismo y blando .... los demás que al revés.

20. *a)* Es un hijo muy bueno .... sus padres, pero no tan bueno e incluso malo .... los conocidos.

b) Es una fruta agradable a la vista y buena .... sabor; no engorda, por lo que también es buena .... la línea, es decir, para guardar la línea.

c) Ser bueno .... los suyos y malo .... los demás no es ningún mérito.

d) Las grasas animales no son buenas, sino perjudiciales y malas .... el corazón.

21. Es una persona caliente .... manos y fría .... pies.

22. *a)* Quien más quien menos, todos somos un poco ciegos .... nuestros propios defectos.

b) El accidente le dejó ciego .... los dos ojos.

c) Ciego .... pasión, ciego .... el odio, se arrojó contra su enemigo.

d) A veces estamos ciegos .... los defectos de las personas amadas.

23. *a)* La discusión se convirtió en un combate .... muerte.

b) Los boxeadores concertaron un combate .... diez asaltos.

24. Hay cosas particulares y cosas comunes .... todos los humanos.

25. Al reo le cayó una condena .... perpetuidad.

26. *a)* No siempre estamos conformes .... lo que se nos propone.

b) Estaban conformes .... las condiciones de pago, pero no .... el precio.

27. Hay ciertamente personas muy inteligentes, pero poco constantes .... el esfuerzo, lo que no quiere decir que también sean inconstantes .... el amor.

28. *a)* El que no está contento .... su trabajo por lo general no es feliz, lo que no quiere decir que forzosamente no estemos descontentos .... algunas cosas, como el sueldo o el jefe.
b) Pocos son los que están contentos .... su suerte.
c) Es un hombre muy descontento .... sus hijos.
d) Quedó muy descontento .... la sentencia del juez.

29. Es persona descontentadiza, muy difícil .... trato y siempre contrario .... sus ideas .... todos.

30. *a)* Es hombre corto .... palabras y largo .... manos.
b) Juan siempre está corto .... dinero.
c) Juan es muy corto .... los desconocidos.

31. *a)* Fue hombre cruel .... los enemigos, pero piadoso .... los vencidos.
b) Siempe fue muy cruel .... condición y .... palabra.

32. *a)* Había un letrero que decía: cuidado .... el perro.
b) Mientras voy a la compra, ten cuidado .... tu hermano.
c) Ten mucho cuidadito .... lo que dices.

33. *a)* Siempre fue persona muy cuidadosa .... su trabajo, pero muy descuidada .... su manera de vestir.
b) En vida fue hombre celoso y cuidadoso .... su buen nombre, pero descuidado .... su hacienda.

34. Es persona un tanto curiosa .... vidas ajenas, pero muy curiosa .... su vestir.

35. Es un personaje desconocido .... la gente, pero apreciado y conocido .... los entendidos.

36. *a)* Es feliz el que es dichoso .... lo que tiene, dichoso en su estado y es dichoso .... poder hacer el bien a los demás.
b) Juan fue muy desdichado .... la elección de esposa.

37. Unos más y otros menos, todos estamos deseosos .... cariño.

38. *a)* Es buena persona, pero muy desigual .... carácter.
b) El que está detrás de un mostrador no debe ser desigual .... el trato .... el público.

39. Hombre leal .... la patria y .... los amigos.
40. Llegó desnudo .... afectos y .... bienes, hoy está rico en ambas cosas.
41. *a)* Juan es muy diferente .... sus hermanos.
    b) La riqueza es una cualidad muy diferente .... las cualidades morales.
42. *a)* Lo que dices es difícil .... creer. Es difícil incluso .... las personas que entienden de esa materia.
    b) Lo que es fácil .... unos es difícil .... otros.
    c) Es persona muy fácil .... las alabanzas.
43. *a)* Es un personaje digno .... admiración.
    b) Es una acción indigna .... esa persona.
44. *a)* Hay personas que son muy diligentes .... cobrar y perezosos .... el trabajo.
    b) Es muy diligente .... echarse de la cama, aunque es pesado .... cuerpo.
45. En las pasadas elecciones fue elegido diputado .... Cortes .... Madrid.
46. Está muy disgustado .... el jefe .... su actitud prepotente.
47. *a)* Con la edad quedó disminuido .... facultades.
    b) Con la jubilación quedamos disminuidos .... recursos.
48. *a)* Es hombre siempre dispuesto .... hacer un favor.
    b) Sabemos que tenemos que morir, pero pocos están dispuestos .... aceptar la muerte.
49. Es un hombre distinto .... los demás, sobre todo muy distinto .... los de su generación.
50. Es un chico muy divertido .... sus amigos.
51. Di que te den el doble .... lo que te han dado.
52. Es un niño muy dócil .... los consejos, porque es muy dócil .... condición.
53. Es un joven con mucho don .... gentes y dulce .... el trato, aunque algunos lo juzgan un poco duro .... corazón, a causa de estar empapado .... las teorías revolucionarias.

54. Todos andamos escasos .... dinero.
55. Se trata de un país estéril .... fruta y .... ingenios.
56. *a)* Me he comprado una chaqueta que me queda estrecha .... manga.
    b) Hay gente que es ancha .... manga y estrecha .... conciencia.
57. Hay que ser exactos .... los juicios y, sobre todo, no pecar por exceso .... rigor ni defecto .... la caridad.
58. Hay personas exigentes .... los demás .... todo e indulgentes .... mismos.
59. A la vez era digno y extraño .... ver juntas tantas personas ajenas y extrañas .... asunto.
60. Es un trabajo fácil .... hacer .... cualquiera .... cualquier lugar.
61. La votación dio un resultado favorable .... Juan.
62. Son tierras fértiles y fecundas .... fruta.
63. *a)* Es persona que vive muy feliz .... su esposa, ... compañía de sus padres y .... sus amigos.
    b) Se cree feliz .... su dinero, pero se puede ser feliz .... un céntimo.
64. El hombre íntegro es fiel .... su patria, fiel .... su esposa, fiel .... sus creencias y, finalmente, fiel .... sus amigos.
65. He puesto un cuadro fijo .... la pared .... un soporte, y otro fijo .... clavos, también .... la pared.
66. Tiene tanta confianza en él que le puso una firma .... blanco.
67. Es una persona muy firme .... sus decisiones, pero muy flaco .... memoria.
68. Es muy flojo .... el trabajo porque es muy frágil .... cuerpo.
69. Es persona muy franca .... carácter y .... sus palabras .... todos.
70. *a)* Estos árboles son muy fuertes .... las heladas y .... el viento.

b) Es un alumno muy fuerte .... historia.

71. *a)* Se puso muy furioso .... las noticias .... Juan.
b) El padre se puso furioso .... rabia .... el suspenso del hijo.

72. *a)* Hay personas muy generosas .... el dinero de otros.
b) Hay que ser generosos .... obras .... los demás.

73. Fue hombre grande .... sus hechos y grande .... sus palabras.

74. Ésa es una noticia grata .... todos los oídos.

75. Es un político hábil .... las discusiones.

76. Harto .... esperar, se largó.

77. Es humilde .... condición y .... su comportamiento general también es humilde .... todos.

78. Es idéntico .... padre e igual .... él .... cualidades.

79. Su novio es impresentable .... la gente educada y .... público en general.

80. Hace cosas impropias .... su edad.

81. Lo mismo que es incapaz .... ese puesto, también te digo que es incapaz .... hacer nada malo.

82. Es indeciso .... sus acciones porque no es independiente .... su vida.

83. Es indiferente .... las críticas e ingrato .... los amigos.

84. Es inocente .... crimen que se le imputa, aunque es persona insaciable .... dinero, e igualmente insaciable .... otros apetitos.

85. Es tan insensible .... los halagos como .... los insultos.

86. Es intolerante .... los defectos ajenos, sobre todo es intolerante .... materia religiosa.

87. Cervantes quedó inútil .... la mano izquierda.

88. Es largo .... los ofrecimientos y corto .... la dádiva.

89. Es igualmente lento .... la comprensión y lento .... decisión.

90. Está loco .... su primer nieto; se podría decir que está loco .... atar, pero lleno .... alegría.

91. Estoy un poco molesto .... Juan .... sus opiniones.
92. Es persona noble .... cuna, es decir .... sus padres, y lo que es más importante, noble .... sus acciones y obras.
93. *a)* Cuanto dices es muy oportuno .... caso o .... el caso.
    b) Juan es listo y oportuno .... sus contestaciones.
94. Es persona muy orgullosa .... su linaje y .... sus ademanes; es, en una palabra, un tipo perfecto .... su clase.
95. No lo aguanto: es muy pesado .... su conversación.
96. Es pobre .... bienes, pero rico .... virtudes.
97. Es el preferido .... padre .... todos los hermanos.
98. Su comportamiento es propio .... su edad.
99. Desde que nace el hombre está próximo .... la muerte.
100. El hombre es digno .... compasión.

SERIE B

Complementos de nombre

1. *a)* El primer derecho es el derecho .... la vida.
   b) Casi siempre ha existido el derecho .... asilo.
2. Como en la obra de Dante, aquello parecía un descenso .... los infiernos.
3. Gritaron: «Somos gente .... paz.»
4. *a)* El vigía gritó: «Hombre .... agua.»
   b) Juan es un hombre .... Dios y, a la vez, hombre .... buenas letras, hombre .... fiar y muy capaz, es decir, hombre .... todo.
5. *a)* Nunca se debe uno fiar .... las apariencias; y hoy .... día mucho menos.
   b) Hoy .... hoy mando yo; mañana Dios dirá.
6. *a)* Desde niño tuvo mucha inclinación .... los estudios serios.
   b) Ya de joven se desvió esta inclinación .... las supersticiones.

7. El ingreso .... el convento tuvo lugar a los treinta años.
8. *a)* Siempre mostró interés .... las cosas y desinterés .... los resultados prácticos.
   b) Tengo interés .... conocer su opinión.
9. La intolerancia .... religión no es cosa buena.
10. Hicieron una penosa marcha .... Madrid .... la sierra.
11. *a)* Tiene miedo .... la oscuridad y .... morirse.
    b) Tengo miedo .... los atracadores porque tengo miedo .... los débiles.
12. *a)* Tuvo una muerte .... perro.
    b) Siempre es lamentable la muerte .... manos de otro.
    c) Dijeron los médicos que su muerte tuvo lugar .... causas naturales.
    d) Quevedo escribió sobre la muerte .... risa.
13. Se tenían entre sí un terrible odio .... muerte.
14. En la habitación había un grato olor .... rosas.
15. Gran cualidad es poseer la oportunidad .... la réplica.
16. El orgullo .... el dinero es un feo y pobre vicio.
17. Aquél es el paso .... Francia.
18. *a)* El paseo .... góndola es algo típico en Venecia.
    b) El paseo .... pie es bueno para la salud.
    c) El paseo .... orillas de la mar es agradable.
    d) El paseo .... la arena es bueno para los pies.
19. *a)* El pecado .... soberbia es satánico.
    b) Prefiero el pecado .... exceso al pecado .... defecto.
    c) El pecado .... el Espíritu Santo es muy grave.
20. El peinado .... raya exige más atención que el peinado .... atrás.
21. El perdón no es completo si no es perdón .... todos.
22. Alcanzar la perfección .... algo es posible. La perfección .... todo es imposible.
23. Una larga permanencia .... salvajes es embrutecedora.
24. *a)* La pesca .... red es más abundante.
    b) La pesca .... estas aguas es difícil.

25. La pintura .... óleo tiene una gran tradición.
26. La pobreza .... dinero no es sinónimo de pobreza .... espíritu.
27. La predicación .... los humildes suele ser fructífera; la predicación .... infieles suele ser peligrosa.
28. Sentía preferencia .... el mayor.
29. Recibió el premio .... su esfuerzo.
30. Los policías reciben una buen preparación .... las agresiones de los delincuentes.
31. Ha hecho la presentación .... paracaidista.
32. Es una buena prevención .... la gripe.
33. Este documento certifica su procedencia .... origen.
34. Es bueno el progreso .... la vida.
35. Rompió su promesa .... matrimonio.
36. Hay que buscar la protección .... la delincuencia.
37. *a)* Le entró rabia .... el jefe.
    b) Tuvo rabia .... verse difamado.
38. Hay que dar razones .... lo que se afirma.
39. Aquí se reciben las reclamaciones .... incumplimiento de contrato.
40. Buena es la reconciliación .... los amigos.
41. Éste es el refugio .... el dolor.
42. Dulce es el regreso .... la patria.
43. *a)* Es un buen remedio .... el dolor o .... el dolor.
    b) El amor .... la madre es un grato remedio .... la desgracia.
44. Le llegó la hora .... la renuncia .... la corona.
45. Hay que tener respeto .... los ancianos.
46. Emprendió una discreta retirada .... sus habitaciones.
47. Compró caramelos .... sabor .... menta.
48. Ésa es la salida .... la calle.
49. La sucesión .... el trono tuvo lugar en 1556.
50. Llevó su sufrimiento .... paciencia y dignidad.

51. Es loable toda superación .... las dificultades.
52. La sustitución .... una cosa .... otra o .... otra no siempre es ventajosa.
53. No es lo mismo el temor .... Dios que el temor .... Dios.
54. No siempre es conveniente el trabajo .... equipo o .... horario fijo.
    Poca gente realiza un trabajo .... amor al arte.
55. Debe ser igualmente punible el tráfico .... armas, drogas o el tráfico .... influencias.
56. Es conveniente el trato .... gente de todos los países.
57. Siempre hay satisfaccion .... el triunfo sobre los enemigos.
58. *a)* El viaje .... coche propio es cómodo.
    b) El viaje .... ferrocarril no lo es tanto.
    c) El viajar .... necesidad es poco agradable .
59. *a)* La vida .... lo grande gusta a todos.
    b) La vida .... lujos, pero .... paz es propia de sabios.
60. Pocas cosas tan gratas como la vuelta .... casa.

Grupo 3

SERIE A

1. Vivió escondido .... diez años.
2. Lo encontré .... su casa.
3. Es antipático .... todo.
4. Se descolgaron .... el fondo del pozo.
5. Cayeron rodando .... la cima .... el río.
6. La joya perdida estaba .... la ropa.
7. .... que me lo dijiste no hago más que pensar en eso.
8. Es de los que dicen « .... pan y cebolla».
9. Todo lo sufría .... amor de Dios.

10. Es una medicina muy buena .... el dolor de cabeza.
11. Colocaron las cosas .... su tamaño.
12. Pasaron doce días .... comer.
13. Se paró a la puerta .... cinco minutos.
14. Está enfermo .... gripe.
15. Retrocedieron .... el último puesto.
16. Fue valiente .... los valientes y generoso .... los generosos.
17. Mira .... aquel árbol.
18. Existe derecho .... asilo.
19. La armada navega .... América.
20. No dejes .... mañana lo que puedas hacer hoy.

SERIE B

1. En el kilómetro cien se quedaron .... gasolina.
2. Me gusta pasear .... el campo.
3. Lo trajeron .... dos guardias.
4. Sólo vive .... sus hijos.
5. Llenaron las copas .... el borde.
6. Echaron .... el monte.
7. Nadó .... agotarse.
8. Es tonto .... los pies a la cabeza.
9. Se compró un coche .... el dinero del premio.
10. Recibieron su paga .... el trabajo realizado.
11. La pintura .... óleo tiene una gran tradición.
12. Le pegó terriblemente .... todo el combate.
13. El camino desciende .... la ermita.
14. Desde niño montó muy bien .... bicicleta.
15. Es triste la guerra .... hermanos.
16. Le liberaron .... el final de la guerra.
17. Retenía la finca .... derecho.

18. Le gusta oír música .... las comidas.
19. Lo pusieron .... la espada y la pared.
20. Gobiernan .... la doctrina socialista.

SERIE C

1. Se marcharon .... Barcelona.
2. Vengo .... mi casa.
3. Llegó en su demanda .... el Tribunal Supremo.
4. El primer derecho es el derecho .... la vida.
5. Ayer presentaron a María .... sociedad.
6. Saltaron .... la ventana .... el jardín.
7. Échate .... allá.
8. Organizaron el plan de ataque .... el paseo.
9. Se marchó .... dejar dirección.
10. La pesca .... red es más abundante que la pesca .... anzuelo.
11. Vengo .... Santurce .... Bilbao todos los días.
12. Salió huyendo .... las llamas.
13. Hoy se marchó .... Barcelona.
14. Se lanzó .... el mar.
15. Construyeron la casa .... las ordenanzas municipales.
16. Pinta .... pinceles.
17. El niño se había transformado .... un joven apuesto.
18. Siguieron a su jefe .... la muerte.
19. La carga rodó .... el suelo.
20. Se defendían .... el fuego enemigo.

SERIE D

1. Haremos el trabajo .... tú y yo.
2. Está loco .... los quince años.

3. Se marcharon .... llegaron.
4. Nació .... la travesía del Mediterráneo.
5. No vengas tú solo, ven .... tu mujer.
6. No te apoyes .... el cristal, porque puede romperse.
7. Reinó .... mil quinientos.
8. Se tenían un terrible odio .... muerte.
9. Me alegro .... tu venida.
10. El conejo saltó .... las matas.
11. Navegaba .... rumbo fijo.
12. Es un encanto .... mujer.
13. Hay que saber sufrir .... paciencia y dignidad.
14. Padeció de los nervios .... la mili.
15. Se volvió .... la primera parada.
16. Se fue .... el enemigo con muy malas intenciones.
17. Es rígido .... la exageración.
18. Sólo sabe contar .... los dedos.
19. Es muy bueno .... la salud.
20. Se pararon .... la mitad del trayecto.

SERIE E

1. Te doy este dinero .... ti.
2. Salieron .... las tres de la tarde.
3. Se trasladó de domicilio .... la noche.
4. Hay que actuar .... dispone la orden ministerial.
5. Se separaron .... cinco meses.
6. Se fueron .... el bosque.
7. Disparaban .... las azoteas .... la calle.
8. Los bandidos salieron .... los árboles.
9. Ese desfiladero es el paso obligado .... Francia.
10. Montaba .... silla.
11. Retener algo .... la voluntad de su dueño es robar.

12. El fuego dura .... anoche.
13. Avanzaban .... atrás .... adelante.
14. El Real Madrid perdió el partido .... el pronóstico de todos.
15. Ese prado cae .... el río.
16. Discutían .... sus intereses.
17. Toda la vida se sacrificó .... sus hijos.
18. Es un famoso comerciante .... joyas.
19. Venid .... casa .... tomar unas copas.
20. Fue un desconocido .... los suyos.

SERIE F

1. Juan es aficionado .... fútbol.
2. Juan es muy apasionado .... sus hijos.
3. Han promulgado un decreto .... las corridas de toros.
4. Le gusta viajar .... día.
5. Se fue andando .... Madrid a Barcelona.
6. Se ocultó .... la guerra.
7. Suavemente reclinó la cabeza .... la almohada.
8. Se metió .... las llamas para buscarlo.
9. Se dirigieron .... la salida.
10. Fueron paseando .... la ermita.
11. Es muy severo .... sus hijos.
12. La boda será .... Navidad.
13. Compraron cosas .... su dinreo.
14. Ganaron .... ayuda ajena.
15. Traduce muy bien .... francés .... inglés.
16. Hay que tener respeto .... los ancianos.
17. Ten cuidado .... lo que dices.
18. Te juego mi reloj .... tu pluma.
19. Está orgulloso .... su linaje.
20. Estuvieron callados .... la clase.

SERIE G

1. El pájaro se posó .... el balcón.
2. Vivió toda su vida .... salvajes.
3. Las bombas caían .... la entrada del pueblo.
4. Llégate .... el estanco y cómprame un sello.
5. Hay que vivir .... ver.
6. Servía .... la comida.
7. Lo ayudaron .... sus medios.
8. Se tiraron del avión .... paracaídas.
9. Se escapó .... la gente.
10. Pasear .... pie es bueno para la salud.
11. Es bueno reconciliarse .... los amigos.
12. .... pereza diligencia.
13. Tiene un niño .... seis años.
14. Habla .... hace una hora.
15. Durmió de un tirón .... doce horas.
16. El herido yacía .... tierra.
17. .... todos lo mataron.
18. El ejército se movió .... el bosque.
19. Le gritó: «Ven .... aquí.»
20. Lo que dices es muy propio .... el caso.

SERIE H

1. Se marcharon .... la mañana.
2. Actúa .... sus obras no .... sus palabras.
3. Son hombres .... conciencia.
4. Se marcharon .... Madrid .... Barcelona.
5. El vigía gritó: «¡Hombre .... agua!»
6. Es un hijo muy cariñoso .... sus padres.
7. .... el vicio de pedir está la virtud de no dar.

8. Juan sabe mucho .... historia.
9. No he visto a Juan .... hace un mes.
10. Escribí la novela .... las vacaciones.
11. Sécate .... la toalla.
12. Lo apretó fuertemente .... sus brazos.
13. Guiaron al ciego .... la fuente.
14. Repasó la lección .... la última coma.
15. Saltó .... atrás.
16. El niño sangraba .... la nariz.
17. Se defendían .... sus fuerzas.
18. Se presentó .... americana.
19. Estoy .... Juan .... la coronilla.
20. Recibiréis el premio .... vuestros esfuerzos.

SERIE I

1. Es una persona agradable .... todos.
2. Se pegó un golpe tremendo .... un árbol.
3. Hay quinientos kilómetros de Madrid .... Bilbao.
4. Hace su capricho .... el parecer de todos.
5. Asisto a las clases .... español.
6. Son novios .... que iban a la escuela.
7. Se opuso .... toda la reunión.
8. No se reformó .... sus costumbres.
9. .... todos abrieron la caja.
10. Se levanta todos los días .... cinco y seis de la mañana.
11. Fue feliz .... el final de su vida.
12. Rechazaron al enemigo .... la frontera.
13. Se separaron .... siempre.
14. Les condenaron .... sus crímenes.
15. Lo que me dices, ... un oído me entra y .... otro me sale.
16. Tropecé .... un amigo .... la calle.

17. Ésa es la salida .... la calle.
18. No te enfades .... los amigos.
19. Primero disparó .... todos y finalmente .... sí.
20. Es hombre .... fiar.

SERIE J

1. El perro se lanzó .... el ladrón.
2. Esta tela es agradable .... tacto.
3. Es un padre muy blando .... su hijo pequeño, pero muy duro .... su hijo mayor.
4. Nieva .... esta madrugada.
5. Ha necesitado ayuda .... la enfermedad.
6. Lo recibieron .... la cocina.
7. Se abalanzó .... los amigos.
8. Me desperté .... las dos.
9. Juan es oportuno .... en la forma de vestirse.
10. Se sonreía .... sus adentros.
11. Es un hombre que trabaja .... cuatro.
12. Comenzaron a comer .... iban llegando.
13. Yo puedo pasarme .... ir al cine.
14. Desfilaban .... ocho .... ocho.
15. Estoy de acuerdo .... Juan.
16. Es un coche .... cinco millones.
17. Lo apretó fuertemente .... su pecho.
18. El humo se veía .... diez kilómetros.
19. Roncó sin cesar .... el sermón.
20. Fue el primero .... llegar a la meta.

SERIE K

1. .... Santurce a Bilbao vengo...
2. Murió .... el bombardero.

3. Salieron .... Madrid .... Barcelona.
4. Hablaba .... ton ni son.
5. Se asociaron .... la costumbre.
6. Mis hijos vienen .... Navidad.
7. Es sordo .... conveniencia.
8. Lo oculturaron .... el final de la contienda.
9. Refrescaron sus cuerpos .... el río.
10. Se colocaron .... atrás.
11. Nos amaneció .... Pinto y Valdemoro.
12. Compró caramelos .... sabor a menta.
13. La fiesta es .... Juan.
14. Es tan insensible .... los halagos como .... los insultos.
15. Uno .... cinco es un combate muy desigual.
16. Ayer salieron .... Barcelona.
17. Ha viajado mucho .... su primera infancia.
18. Cada uno habla de la feria .... le fue en ella.
19. Procedió .... vergüenza alguna.
20. Hay personas muy generosas .... el dinero del Estado.

SERIE L

1. Las cosas son .... el cristal con que se miran.
2. Gobernó .... apoyo popular.
3. Se volvieron .... el pueblo.
4. Pongo .... duda sus palabras.
5. Siempre anduvo .... buena gente.
6. Desde niño se inclinó .... estudio.
7. Tiene miedo .... la oscuridad y .... morirse.
8. Se sostuvo en el gobierno .... la fuerza.
9. Siempre habla .... todos y todo.
10. Pasaba las horas mirándose .... el espejo.
11. Profundizaron la excavación .... cien metros.

12. Giraron .... estribor.
13. Lo arrastraron .... las zarzas.
14. Hay que sembrar .... recoger.
15. Son árboles .... hoja perenne.
16. La maceta se cayó .... el tercer piso.
17. Permaneció al acecho .... toda la noche.
18. Todos los días viene .... el periódico.
19. La torre terminaba .... punta.
20. Reía .... no llorar.

SERIE M

1. Iba .... Madrid .... Barcelona.
2. Estoy de Juan .... los pelos.
3. Trabaja .... necesidad.
4. Abrió la carta .... un cuchillo.
5. Hoy juega el Real Madrid .... el Atlético.
6. De pronto me hallé .... fuerzas.
7. Se acercaron .... repente.
8. Esta madera no vale .... hacer muebles.
9. Eligieron los premios .... sus gustos.
10. Siempre es bueno ver los toros .... la barrera.
11. Ten cuidado .... niño.
12. El dinero es .... las ocasiones.
13. Viajaba mucho .... tren.
14. Avanzaron .... el fuego enemigo.
15. Me pillas .... dinero.
16. Bailaron sin descanso .... tres horas.
17. Vencieron .... enemigo .... traición.
18. A todos nos gusta vivir .... lo grande.
19. Vivía .... Juan desde hacía diez años.
20. Subieron .... el último pico.

SERIE N

1. El barco iba lleno .... los topes.
2. Corrieron .... Madrid .... Barcelona.
3. Ese país es pobre .... hierro.
4. Se escondió .... la maleza.
5. Inclínate .... la derecha.
6. Mi pluma es .... oro.
7. Se fueron .... despedirse.
8. Vestían .... la moda de otros tiempos.
9. Juan tiene aptitud .... el canto.
10. Lo cogieron .... descuidado.
11. Estuve enamorado de ella .... todo el curso.
12. El dictador seguía .... el poder.
13. Nos casaremos .... la opinión de todos.
14. Los que viajan tratan .... gente muy diversa.
15. Dulce es el regreso .... la patria.
16. Se reía .... de su sombra.
17. Es inocente .... crimen que le acusan.
18. Es muy resuelto .... tomar decisiones.
19. El museo está vacío .... las diez.
20. Propagaron rumores .... fundamento.

SERIE Ñ

1. Éste es el reloj .... mi padre.
2. Votaron a Juan .... diputado.
3. Te espero .... las ocho.
4. Salieron .... la ventana.
5. Continuamente hacía proyectos .... base alguna.
6. Se casaron .... manda la ley.
7. Pan .... pan, comida de tontos.

8. Hubo un escritor que escribió « .... esto y aquello».
9. Sufrió mucho .... toda su vida.
10. No me arrepiento .... nada.
11. .... que se casó es otro hombre.
12. Mañana iremos .... pescar.
13. Se remontó en sus explicaciones .... el siglo V.
14. Le condecoraron .... valiente.
15. Tardó .... decidirse tres días.
16. Puede ser virtud contentarse .... lo que uno tiene.
17. Lo que gana se lo guarda .... sí.
18. Lo crucificaron .... dos ladrones.
19. .... hagáis así recibiréis.
20. Sin querer me di .... la cabeza .... la pared.

Grupo 4

I.

Martín Marco vaga por la ciudad sin querer irse .... la cama. No lleva encima ni una perra gorda y prefiere esperar que acabe el Metro, ... que se escondan los últimos amarillos y enfermos tranvías de la noche. La ciudad parece más suya, más de los hombres que, como él, marchan .... rumbo fijo .... las manos en los vacíos bolsillos —en los bolsillos que, a veces, no están ni calientes—, ... la cabeza vacía, ... los ojos vacíos, y en el corazón, sin que nadie se lo explique, un vacío profundo e implacable.

Martín Marco sube .... Torrijos .... Diego de León, lentamente, casi olvidadamente, y baja .... Príncipe de Vergara, ... General Mola, ... la plaza de Salamanca, con el Marqués de Salamanca en medio, vestido .... levita y rodeado .... un jardincillo verde y cuidado .... mimo. A Martín Marco le gustan los paseos solitarios, las largas, cansadas caminatas .... las calles anchas de la ciudad, ... las mismas calles que de día, como por un milagro, se llenan —rebosantes como las tazas de los desayunos honestos— .... las voces de los vendedores, los ingenuos y descocados cuplés de las criadas de servir, las bocinas de los automóviles, los llantos de los niños pequeños: tiernos, violentos, urbanos lobeznos amaestrados.

Martín Marco se sienta .... un banco de madera y enciende una colilla que lleva envuelta, con otras varias .... un sobre que tiene un membrete que dice: «Diputación Provincial .... Madrid. Negociado .... Cédulas Personales.»

CAMILO JOSÉ CELA
La colmena
(Extraído de «Antología de la Literatura Española del siglo XX». SGEL)

II.

Cayetano había llevado la cachimba .... la boca y la apretaba fuertemente .... los dientes. La cachimba temblaba y los puños de Cayetano se pegaban .... los muslos, los golpeaban. Le aparecía .... los ojos un resplandor .... ira y en las esquinas de la boca una sonrisa desagradable. Clara le echó la mano .... un brazo y lo sacudió.

—No te irrites y aprende .... escuchar la verdad como un hombre. Acabas .... proponerme que sea tu querida y no me he ofendido. Tampoco te guardo rencor, pero siento que seas como eres; en el fondo, un pobre hombre. Porque la única persona a quien de veras importa un pito la opinión .... los demás soy yo. Yo sería capaz .... irme .... y .... tener un hijo tuyo si lo considerase honrado, si algo razonable me impidiera ser tu mujer. Pero tus razones no me convencen. Sería un pretexto hoy, otro mañana, y siempre mentiras y dilaciones. Y yo no soporto la mentira. ¿Qué quieres? Me pasa como con la suciedad.

La mano de Clara había descendido .... lo largo del brazo .... hallar la muñeca. Se la apretó afectuosamente.

— Tienes que quererme, Clara; no puede ser de otra manera.

—No eres malo, en el fondo. Pero estás envenenado, en eso tienes razón, y te será difícil librarte .... veneno, pero tú, como los otros, tampoco te irás .... Pueblanueva. Ya ves, mi hermano, que no iba .... volver nunca. Os tiene cogidos el pueblo y no os suelta.

—También a ti...

—No. Yo acabaré marchando. Y más pronto .... lo que piensas.

GONZALO TORRENTE BALLESTER
Los gozos y las sombras
(Extraído de «Antología
de la Literatura Española
del siglo XX». SGEL)

III.

Durmió toda aquella mañana .... interrupción. Las dueñas tejieron el necesario silencio alrededor .... su cuarto. También Dorita permaneció .... la cama .... muy tarde y mientras la tonta de la madre se iba .... misa y luego quizá .... dar una vuelta .... el Paseo del Prado o hasta tomar un vermut .... un aguaducho del Retiro .... una amiga de otros tiempos a la que hablaba prolongadamente .... las glorias pasadas, la abuela, introduciéndose .... la misma alcoba en la que había entrado Pedro, hablaba .... oído .... su nieta y la hacía hablar .... ella y volvía .... hablar .... nuevo y le daba algunos consejos y sonreía un poco y luego lloraba también, pero todo con la mesura propia de mujeres que poseyendo una alta sabiduría y comprendiendo cuáles son las sencillas motivaciones que rigen la conducta de los hombres, no desesperan .... llevar .... buen puerto sus afanes, siempre que no se crucen .... el camino desaprensivos bailarines sin moral o mujeres estúpidas entregadas .... ruhm negrita y que no aciertan .... utilizar racionalmente sus encantos.

Cuando llegó la hora .... comer y regresó .... hogar la parlanchina madre y todos los huéspedes habían vuelto también .... la pensión, después .... haber tomado sus patatas fritas o incluso sus gambas .... la plancha si los medios pecuniarios daban para tanto, la decana dio las órdenes pertinentes para que tanto el personal de familiares y criados, cuanto su distinguida clientela conservaran .... sus desplazamientos y conversaciones un cierto grado de moderación, para no interrumpir de modo indebido el reposo .... que, habiendo sido requerido .... altas horas de la madrugada para realizar una operación [...]

LUIS MARTÍN SANTOS
Tiempo de silencio
(Extraído de «Antología de la Literatura Española del siglo XX». SGEL)

IV.

Esa misma noche las gentes que lo sintieron pasar acuden .... puntualidad .... la solitaria torre de la iglesia de El Salvador, para esperar el momento .... la confirmación. De noche refresca y en primavera y otoño llega el soplo de la sierra impregnado .... el aroma de la luisa y el espliego en el que se mezclan, reviven y vuelven .... huir las sombras descompuestas y viciosas de un ayer tantalizado: padres y carruajes y bailes y ríos y libros deshojados, todas las ilusiones y promesas rotas .... la polvareda de los jinetes que con la distancia y el tiempo aumentarán .... tamaño .... convertir .... grandeza y honor lo que no fue en su día sino ruindad y orgullo, pobreza y miedo. No hacen sino escuchar: la torre es tan chica que en el cuerpo de campanas no cabe más de media docena de personas, colgadas .... el vacío: el resto se ve obligado .... esperar .... la escalera —y aun .... el corral .... aquellas ocasiones en que ciertos hechos inusitados atraen una mayor concurrencia. No pronuncian una palabra, atentos tan sólo .... la dirección .... viento y .... eco que ha de traer, desde los parajes prohibidos. La espera acostumbra .... ser larga, tan larga como la noche, pero nadie se impacienta: unos minutos antes .... que las primeras luces del día apunten .... el horizonte —ese momento en el que los cautivos congregados para emprender un viaje común deciden, pasada la primera desazón, desentenderse .... sus inquietudes para entregarse al descanso— el sonido del disparo llega envuelto, entre oleadas ....

menta y verbena, en la incertidumbre .... un hecho que, por necesario e indemostrable, nunca puede ser evidente. La evidencia llega más tarde .... el alba, la memoria y la esperanza aunadas para repetir el eco de aquel único disparo que debía necesitar el Numa; que sus oídos habían esperado como la sentencia .... la esfinge al sacrilegio y que, año tras año, aceptaban .... explicaciones ni perplejidad.

JUAN BENET
Volverás a Región
(Extraído de «Antología
de la Literatura Española
del siglo XX». SGEL)

V.

Las visitas intercambiadas .... los representantes de los Gobiernos en conflicto no deben ser tomadas .... la ligera. Puede surgir un foco .... mercado muy peligroso para el resto si continúa la situación en las Comunidades. El problema .... fondo es que el estatuto de comercio jamás ha sido fijado .... manera definitiva. Está dividido .... dos partes al realizarse .... de dos guerras. No obstante, dicho conflicto tiene raíces internas que requieren soluciones preparadas .... el marco de las Naciones Unidas. En los momentos .... mayor tensión, la relativa debilidad .... los Gobiernos constituye una dificultad añadida. Es alarmante que la interpretación .... los hechos sea radicalmente distinta .... las dos capitales. Para unos, todo se explica .... la superproducción que produce tan grandes stocks, para otros es cuestión .... política de aranceles. Con todo, las últimas declaraciones apaciguadoras del ministro de Economía encargado .... asunto permiten albergar esperanzas .... el inicio .... un proceso .... diálogo.

(Ejemplo de texto periodístico)

VI

CLAVE DE LOS EJERCICIOS

Primer grupo

1. 1. con / con 2. en 3. con 4. sobre 5. a 6. de / a 7. con 8. de 9. por 10. con.

2. 1. a 2. en 3. por 4. del 5. de / en 6. sin 7. desde / hasta 8. con 9. de 10. de / de.

3. 1. a 2. a 3. con / en 4. contra 5. de 6. con 7. en 8. en 9. por 10. por 11. de / con 12. por 13. con 14. al 15. por.

4. 1. desde / al 2. de 3. por 4. en 5. hacia.

5. 1. con 2. por / hasta 3. del / con 4. desde / al 5. del.

6. 1. en / en 2. a 3. con 4. de 5. a 6. en / con 7. a 8. de 9. en / sobre 10. entre 11. sin 12. para 13. por 14. contra 15. de.

7. 1. durante / desde 2. por 3. en / en 4. de / entre 5. sin 6. en 7. por 8. según 9. a 10. con 11. de / de 12. por 13. por 14. hasta 15. contra 16. con 17. por 18. de 19. sin 20. desde.

8. 1 al 2. con 3. con / con 4. en / a 5. de / con 6. desde / hasta 7. por 8. hacia / con 9. por 10. a / de 11. por 12. de / en 13. de / a 14. en /en 15. a / de / para.

9. 1. a 2. con 3. de 4. en / hacia 5. sin / sin 6. en / por 7. a 8. durante 9. contra 10. para.

10. 1. de / de 2. en / de 3. en 4. por 5. con 6. por 7. a 8. sin 9. entre 10. durante.

11. 1. de / en 2. por 3. de 4. en 5. de 6. a 7. de 8. al 9. de 10. por / a.

12. 1. a / a 2. a 3. en 4. en / sobre 5. de 6. entre 7. contra 8. en 9.

en / sin 10. hacia 11. por 12. de / contra 13. de 14. según 15. hasta / hasta.

13. 1. en / de 2. en / por 3. en / a 4. en / a / hacia 5. sin / por 6. con / en / con 7. de / en 8. de / con 9. hasta / por 10. de entre / en.

14. 1. a 2. de 3. de 4. entre 5. de 6. en 7. para 8. por 9. por 10. de / hacia 11. entre / sin 12. por / según 13. para 14. de 15. durante / desde / hasta.

15. 1. por / en 2. al 3. sobre 4. hasta 5. de 6. a 7. hacia 8. Para 9. de 10. a 11. a 12. de 13. según 14. entre 15. desde / hasta.

16. 1. de 2. de 3. de 4. por 5. sobre 6. por 7. contra 8. a 9. a 10. en 11. por 12. a 13. para 14. a / desde 15. durante.

17. 1. a 2. a 3. con 4. a / en / por 5. sobre 6. a 7. para 8. por 9. para 10. desde / en 11. entre 12. en 13. por 14. por 15. contra.

18. 1. por / por 2. en / a 3. en / en 4. con 5. de / a / por 6. con 7. para 8. de 9. de 10. hacia.

19. 1. por / a 2. entre / entre 3. de 4. durante 5. con 6. sobre / sin 7. al / sin 8. hacia 9. para 10. para. 11. contra 12. según 13. desde / en 14. de / de 15. con.

20. 1. a / por 2. de / en 3. al / en 4. en 5. en / a 6. para / a 7. hasta / al 8. en 9. de 10. sobre / por 11. de / sobre 12. al / con 13. entre 14. a / por 15. a / con.

21. 1. contra / de 2. de / entre 3. en 4. con / hasta 5. con / contra 6. hasta 7. del 8. a / por 9. a / a 10. con / con 11. hasta / al 12. de 13. en 14. con / de 15. a / entre.

Segundo grupo

Serie A

1. a 2. en / en 3. de / en 4. *a)* con *b)* al *c)* al *d)* con *e)* a *f)* en *g)* de 5. de / en 6. de / de / en 7. de 8. de / de 9. a / para / para con / con 10. al / de / al / de 11. de / con 12. con / con / a / con / para con 13. con / en / con / para con 14. para / en 15. al / de / en / con / al / al / en / de 16. a / de / en / por 17. a / a / con / con 18. *a)* de *b)* en *c)* con / por 19. *a)* al *b)* con / con *c)* de / de *d)* consigo / para con 20. *a)* con / con *b)* de / para *c)* para con / para con *d)* para 21. de / de 22. *a)* con *b)* de *c)* de / por *d)* para 23. *a)* a *b)* a 24. a 25. a 26. *a)* con *b)* con / en 27. en / en 28. *a)*

con / con *b)* con *c)* de *d)* de 29. de / en / a 30. *a)* en / de *b)* de *c)* con 31. *a)* con / con *b)* de / de 32. *a)* con *b)* de *c)* con 33. *a)* con / con *b)* de / para 34. de / en 35. de / para 36. *a)* con / de *b)* en 37. de 38. *a)* de *b)* de / en / con 39. a / con 40. de / de 41. *a)* a *b)* de 42. *a)* de / para *b)* a / a *c)* a 43. *a)* de *b)* de 44. *a)* en / en *b)* para / de 45. a / por 46. con / por 47. *a)* en *b)* de 48. *a)* para *b)* a 49. a / de 50. con 51. de 52. a / de 53. de / en / de /en 54. de 55. de / en 56. *a)* de *b)* de / de 57. en / de / en 58. con / en / para consigo 59. de / al 60. de / a / en 61. a 62. en 63. *a)* con / en / entre *b)* por / sin 64. a / con / en / para con 65. a / con / con / en 66. en 67. en / de 68. en / de 69. de / en / con 70. *a)* a / contra *b)* en 71. *a)* con / contra *b)* de / por 72. *a)* con *b)* en / con 73. por / en 74. a 75. en 76. de 77. de / en / con 78. al / a / en 79. entre / al 80. para 81. para / de 82. en / en 83. a / con 84. del / de / en 85. a / a 86. con / en 87. de 88. en / en 89. en / de 90. con / de / de 91. con / por 92. de / por / en 93. *a)* al / para *b)* en 94. de / en / en 95. en 96. en / de 97. del / entre 98. de 99. a 100. de.

Serie B

1. *a)* a *b)* de 2. a 3. de 4. *a)* al *b)* de / de / de / para 5. *a)* de / en *b)* por 6. *a)* a *b)* hacia 7. en 8. *a)* por / por *b)* en 9. en 10. hacia / por 11. *a)* a *b)* de / por 12. *a)* de *b)* a *c)* por *d)* de 13. a 14. a 15. en 16. por 17. a 18. *a)* en *b)* a *c)* a *d)* sobre 19. *a)* de *b)* por / por *c)* contra 20. a / hacia 21. a 22. en /en 23. entre 24. *a)* con *b)* en 25. al 26. en / de 27. a / entre 28. por 29. a 30. contra 31. para 32. contra 33. de 34. en 35. de 36. contra 37. *a)* contra *b)* de 38. sobre 39. por 40. con 41. contra 42. a 43. *a)* contra / para *b)* de / en 44. de / a 45. a 46. hacia 47. con / a 48. a 49. en 50. con 51. en 52. de / con / por 53. a / de 54. *a)* en / sin *b)* por 55. con / en / de 56. con 57. en 58. en / por / por 59. *a)* a *b)* sin / en 60. a.

Tercer grupo

Serie A

1. durante 2. en 3. a 4. hacia 5. desde / hasta 6. entre 7. Desde 8. contigo 9. por 10. contra 11. según 12. sin 13. durante 14. de 15. hasta 16. entre / entre 17. hacia 18. de 19. hacia 20. para.

Serie B

1. sin 2. por 3. entre 4. para 5. hasta 6. hacia 7. hasta 8. desde 9. con 10. según 11. al 12. durante 13. desde 14. en 15. entre 16. hacia 17. sin 18. durante 19. entre 20. según.

Serie C

1. hacia 2. de 3. hasta 4. a 5. en 6. desde / para 7. para 8. durante 9. sin 10. con / con 11. desde / a 12. de entre 13. a 14. hacia 15. según 16. sin 17. en 18. hasta 19. por 20. contra.

Serie D

1. entre 2. desde 3. según 4. durante 5. con 6. contra 7. hacia 8. a 9. de 10. por entre 11. sin 12. de 13. con 14. durante 15. desde 16. contra 17. hasta 18. por 19. para 20. hacia.

Serie E

1. para 2. hacia 3. durante 4. según 5. por 6. hasta 7. desde / hacia 8. de entre 9. a 10. sin 11. contra 12. desde 13. de / a 14. contra 15. hacia 16. según 17. por 18. en 19. a / a 20. entre.

Serie F

1. al 2. con 3. contra 4. de 5. desde 6. durante 7. en 8. entre 9. hacia 10. hasta 11. para 12. por 13. según 14. sin 15. del / al 16. a 17. con 18. contra 19. de 20. durante.

Serie G

1. en 2. entre 3. hacia 4. hasta 5. para 6. por 7. según 8. sin 9. por entre 10. a 11. con 12. contra 13. de 14. desde 15. durante 16. en 17. entre 18. hacia 19. hasta 20. para.

Serie H

1. por 2. según / según 3. sin 4. de / para 5. al 6. con 7. contra 8. de 9. desde 10. durante 11. en 12. entre 13. hacia 14. hasta 15. para 16. por 17. según 18. sin 19. de 20. a.

Serie I

1. con 2. contra 3. a 4. contra 5. de 6. desde 7. durante 8. en 9. Entre 10. entre 11. hacia 12. hasta 13. para 14. según 15. por / por 16. con / en 17. a 18. con 19. contra / contra 20. de.

Serie J

1. contra 2. al 3. con / con 4. desde 5. durante 6. en 7. entre 8. hacia 9. hasta 10. para 11. por 12. según 13. sin 14. de 15. con 16. de 17. contra 18. desde 19. durante 20. en.

Serie K

1. Desde 2. durante 3. de / hacia 4. sin 5. según 6. para 7. por 8. hasta 9. en 10. hacia 11. entre 12. con 13. por 14. a / a 15. contra 16. para 17. desde 18. según 19. sin 20. con.

Serie L

1. según 2. sin 3. para 4. en 5. entre 6. al 7. a / a 8. por 9. contra 10. en 11. hasta 12. hacia 13. entre 14. para 15. de 16. desde 17. durante 18. a por 19. en 20. por.

Serie M

1. de / a 2. hasta 3. por 4. con 5. contra 6. sin 7. de 8. para 9. según 10. desde 11. del 12. para 13. en 14. entre 15. sin 16. durante 17. al / con 18. a 19. con 20. hasta.

Serie N

1. hasta 2. desde / hasta 3. en 4. entre 5. hacia 6. de 7. sin 8. según 9. para 10. por 11. durante 12. en 13. contra 14. con 15. a 16. hasta 17. del 18. para 19. desde 20. sin.

Serie Ñ

1. de 2. para 3. desde 4. por 5. sin 6. según 7. con 8. contra 9. durante 10. de 11. Desde 12. a 13. hasta 14. por 15. en 16. con 17. para 18. en 19. según 20. con / contra.

Cuarto grupo

Texto I

a, a, a, sin, con, con, con, por, hasta, por, por, hasta, de, de, con, por, por, con, en, en, de, de.

Texto II

a, con, contra, en, de, a, a, de, de, de, contigo, de, hasta, del, de, a, de.

Texto III

sin, de, en, hasta, a, a, por, en, con, de, en, al, de, a, a, de, de, a, en, al, a, de, al, a, de, a, en, del, a.

Texto IV

con, a, de, con, a, por, de, hasta, en, sobre, a, en, en, en, a, del, al, a, de, en, de, de, de, con, de, sin.

Texto V

entre, a, de, de, de, en, después, en, de, de, de, en, por, de, del, en, de, de.

INDICE

TÍTULOS DE LA COLECCIÓN

PROBLEMAS BÁSICOS DEL ESPAÑOL

* *Usos de «se».*
* *Aspectos del español hablado.*
* *Usos de «ser» y «estar».*
* *El adverbio.*
* *Uso de las preposiciones.*
* *Perífrasis verbales.*
* *Los determinantes.*
* *Los pronombres.*

* *El subjuntivo (Valores y usos).*